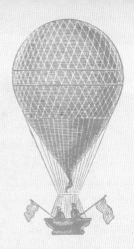

Mysteries
of
Maths

数学的奥妙

[俄] 伊库纳契夫/著   王 力/编译

南海出版公司

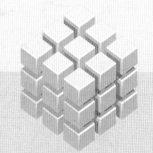

目 录

序
——科普，从基础学科始

"老鼠学会了猫叫，得到了猫的友谊。但狗来了，不会狗语的老鼠不知所措，只好三十六计——走。"

在"2000年中国国际科普论坛"上，那位诺贝尔物理奖得主莱得曼，为给中国听众更清晰地讲解科学，跪在地上放幻灯片时，我们就已经领悟了些什么。这位老科学家用上面的寓言比喻科学工作者们不仅要学会猫语，也应会说狗语。

如何让那深奥而真切的科学从象牙塔中走向大众、走向百姓，更走向渴望知识的青少年。确实不是件容易的事。知其艰巨却又不可不为。

既然我们从科普大会上受到了激励，从外国老科学家那里受到了启迪，我们忽然感到：科学离我们这么近，我们要做和要学的太多了。

那么，让我们从基础做起，从初级做起。《自然的故事》、《化学的秘密》、《物理的妙趣》、《数学的奥妙》便是我们感动之余，向青少年介绍的几本曾经畅销一时，而今读起来依然妙趣横生的科普作品。我们希望和广大青少年们一起学习，共同探究我们赖以生存的这个地球、这个世界，共同走入新世纪中国的科普时代。

初版著者序

如今应该没有人会否定使数学知识广泛普及的必要性,而且,基本的数学常识更应该列为儿童教育的项目之一。读此书并非意味着填鸭式地在每个人脑海里灌输独创力、想像力与机智等能力,而是根据身边日常生活里经常见到的对象或事物,恰当发挥机智并从中获得快乐,如此便能轻易又愉快地进入数学知识的领域。我们希望以这种方式带领读者徜徉在《机智的国度》里,不过,我们也不奢望读者能够完全了解数学这个王国的伟大,只期待借由本书引导人们进入数学的殿堂。在"数学的游乐与乐趣"以及广义的题名下,所涵盖的数学范围极为广泛。

观察力较敏锐的读者,可能会发现本书的单元由浅入深排列,一般来说,阅读本书时不须按照顺序,从头开始,而是选择自己感兴趣的章节充分研究即可。不过,作者不敢保证在此所选择的题材结构,能令所有的读者都满意。有些题材对某些人来说相当艰涩,但对其他人而言则比较简易,有的情形却完全相反,这是因为每个人的嗜好、专长不同的缘故。除此之外,本书大多数的问题,加以适当的改变之后,可作为和儿童谈话的最佳题材。从另一角度来看,本书不仅是中学生培养数学能力的参考书,同时对那些想使自己头脑灵活的人来说,更是一本不可多得的数学入门书。

叶·伊·伊库纳契夫

再版著者序

——数学上的记忆功能——

现代社会对数学仍存有很奇怪的先入为主观念,有些人认为,只有那些天赋异常或脑筋特别灵活的人才能学数学,还有人认为要学好数学,必须具备能回忆各种特殊公式的"数学记忆力"才行。

当然,有些人对于趣味性的活动有特殊的喜好,这是不容置疑的,但是拥有一般智力的人,最起码也能够了解中学程度的数学常识。

以客观的立场来看,"不会数学"这句话是由我们的无知所产生的悲哀观念,有时因懒惰作祟,所以不愿意在家里或学校学习恰当程度的数学,这些事实各位迟早会发现。

何况,我们更不该以为要记忆(填鸭式?)数学公式或规则,必须具有特殊的记忆力才行,否则就是一味地将理论性的思考学问,刻意转为机械性的计算。事实上,苏俄著名的数学家威·贝·耶鲁马克夫证明这种观念与事实相距甚远,在此引述他在基辅物理数学会演讲的一段话。

"当我在课堂上讲解微积分法的时候,发生了一件我永生难忘的事。"

"平常,我讲解某项理论之后,为了提出问题说明,都会要求学生在笔记本上计算。那天,他们计算完 2 项微积分之后,我把他们的结果写在黑板上,然后顺便写下适当的问题,一回头发现好几位学生从口袋里掏出小手册迅速翻阅着。"

"那是什么东西?"

"公式手册。"

"为什么要这样?"

"前任教授告诉我们,要准备一本公式手册,以便解答特殊的例子。老师,你不会要我们把40条公式全背下来吧?!"

"其实做数学根本不须要背公式,所以你们将指数或系数的值代入一般公式里求积分的方法并不恰当,因为公式并非从天而降,而是经过许多推论得来的,同样的道理,即使特殊的例子也能推论出来。"

学生到现在才明白,不用公式照样可以求出积分,不过有几种计算,必须转换为适用于特殊例子才行。

同时,有关各种特殊的例子,学生必须反复引导出和公式相同的推论才行,由于经常反复练习,演算的步骤也就愈来愈熟练,结果解答的速度也愈来愈快。

此事令我不禁去思考数学的本质究竟是什么?

我年轻的时候也和这些学生一样,把所有的注意力都摆在最后的结果,遇到证明题时,我为了确认证明是否严密而费尽心思,但只要能得到最后的结论,我就心满意足了。如果事后要我回想证明的过程,恐怕一点也记不得,这还不要紧,假如我连公式都忘了,而接下来的课程也须要用那些公式时,我该怎么办呢? 搜集所有公式手册做成公式集吗? 可是,那么做需要一笔很庞大的资金,而且没有那么大的空间容纳它,所以不得不慢慢回想导出公式的顺序。其实,这种方式能使公式更接近我证明的内容,结果发觉回想数学的思考过程,比回忆公式来得简单多了! 同时,不需要记得全部的过程,只要充分了解过程中每个阶段的重点即可。好几年来,我一直向学生们强调,学习数学所需要的不是公式,惟有回忆思考过程才是最重要的。

例如,我在说明解析几何的某项定理之后,都会教导学生不使用公式而举出重要的考察点,然后再概略地说明一遍。

在能够表达数学的思考过程之后,想获得公式就变得有如机械化一般,既轻松又迅速。因为学生们从中学时代开始,就对于代数的演算顺序非常熟悉,所以我相信,我今天所主张的原理,连中学生都能理解……

如果按威·贝·耶鲁马克夫的说法继续下去,结论是在此所提出的原则,尤其应该在初期数学的领域上——不论是家里或学校——成为教育的基础。换句话说,不论是幼儿或青少年,与其强迫灌输他们有关加减乘除的"表格",或逼他们去背各种"定理"与公式等填鸭式的教育方式,不如积极培养他们刻意思考的习惯,才是最重要的。如此,也会自然而然学到其他的道理,同时,尽量避免使他们为了做冗长、无聊又机械化的计算或练习问题而感到困扰。

因为将来必须如此计算时,他们自然会做得到,而且现在已经有许多计算机或数表等工具来帮助人们节省时间。

叶·伊·伊库纳契夫

奇妙的
问题

1. 苹果和篮子

将篮子里 5 个苹果分给 5 个人,每人分得 1 个,篮子里还剩下 1 个苹果,为什么?

2. 到底有几只猫呢?

房间里有 4 个角落,每个角落各有 1 只猫,而每只猫的对面各有 3 只猫,同时每只猫的尾巴上面也各有 1 只猫,请问这间房间里到底有几只猫?

3. 裁缝店

某家裁缝店有块长 16m 的布料,每天裁短 2m,请问几天之后才能裁到最后一块呢?

4．666 与数字

不使用加减乘除等计算方式，如何才能把 666 增为一倍半呢？

5．分数

分子比分母小的分数，能和分子比分母大的分数相等吗？

6．分割马蹄铁

如何用斧头砍两次，把马蹄铁分成 6 部分呢？注意，相同的碎片不能重复数两次。

7．老人到底说了些什么？

两个大胆的年轻人，比赛谁的马跑得快，但久久不分胜负而形成一场拉锯战，最后两人都觉得很无聊。

"我们来一场完全相反的比赛好吗？"格利格雷说道，"看谁的马愈慢到达目标，谁就获得奖金。"

"好啊！"米海尔爽快地同意。

于是两人骑马到草原去，旁边围了许多参观者，大家都睁眼目睹这项奇怪的比赛，一位长者拍着手开始数：

"一、二、三！"

两人当然连动都没动一下，旁观者也忍不住笑了出来。

一阵喧哗之后，大家都下了结论，那就是这场比赛绝对没有结果，因为两位骑士可能一直站在原地不动。这时一位历经风霜、满头白发的老人来到现场。

"怎么啦！"老人问。

大家把这情形告诉老人。

"好！那我让这两位年轻人见识一种法术，保准他们听了我的话之后，会像被热开水淋到那样策马狂奔……"

然后，老人走到两名年轻人身边，悄悄地不知道说了什么，30秒后，两人果真像火烧屁股般地策马狂奔，和往常一样想超越对方，但奖金仍然是由慢到的人获得。

老人到底说了些什么？

壹

妙的问题

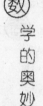

问：

左图所示皆代表古代的1，请问，各是代表哪国的1?

ⓐ古代埃及的1

ⓑ古代玛雅的1

ⓒ古代希腊的1

ⓓ古代美索不达米亚的1

其中有1个是多余的数字。

答：

A——古代埃及

B——古代玛雅

C——古代希腊

D——古代美索不达米亚

E——是古代玛雅的0

★ 玛雅人使用0的时期比印度人更早。

② 火柴棒 的问题

准备一盒火柴,使用火柴棒可以想出许多有趣又富有机智的问题,这些问题可促进头脑的灵活运转,现在,列举一些简单有趣的例子供大家参考。

8. 100

如图 1 所使用的 4 枝火柴棒,再加上 5 枝火柴棒做成 100。

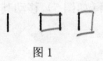

图 1

图 2

9. 家

使用火柴棒做成房屋(如图 2),现在移动 2 枝火柴棒,使房屋的方向改变。

10. 虾子

使用火柴棒做出虾子往上爬的样子(如图3),移动其中3枝,使虾子变成往下爬的样子。

11. 天秤

使用9枝火柴棒做成不平衡的天秤(如图4),然后移动其中5枝,使天秤平衡过来。

图3

图4

12. 两个酒杯

用10枝火柴棒做成两个酒杯(如图5),移动其中6枝,看看能不能使酒杯变房屋。

图5

图6

13. 神殿

这座希腊式的神殿(如图 6),是由 11 枝火柴棒做成的,现在移动其中 4 枝,使它变成 15 个正方形。

14. 旗子

用 10 枝火柴棒做成旗子(如图 7),移动其中 4 枝,使它变成房屋。

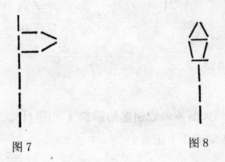

图 7　　　　　　　　　　　图 8

15. 街灯

以火柴棒做成如图 8 的街灯形状,移动其中 6 枝,做成 4 个全等三角形。

16. 斧头

从图 9 的斧头形态,移动 4 枝火柴棒做成 3 个全等三角形。

17. 神灯

由 12 枝火柴棒所做成的神灯（如图 10），移动其中 3
枝，使神灯变成 5 个全等三角形。

图 9

图 10

18. 钥匙

用 10 枝火柴棒做成钥匙的形状（如图 11），移动其中 4
枝，使钥匙变成 3 个正方形。

图 11

图 12

19. 三个正方形

将图 12 的图形移动 5 枝火柴棒，做成 3 个正方形看看。

20. 五个正方形

将火柴棒如图 13 排列，然后移动其中 2 枝，做成 5 个全等正方形。

图 13

图 14

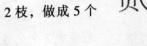

21. 三个正方形

从图 14 的图形中取走 3 枝火柴棒，做成 3 个全等的正方形。

22. 两个正方形

如图 15 的图形，移动其中 5 枝火柴棒，看看能不能做成两个正方形。

图15

图16

数
学
的
奥
妙

23. 三个正方形

用 16 枝火柴棒做成图 16 的形态，再移动其中 3 枝，使它变成 3 个全等正方形。

24. 四个正方形

以火柴棒做成如图 17 的图形，移动其中 7 枝，做成 4 个正方形看看。

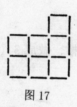

图17

图18

25. 正方形

从图 18 的图形中取走 8 枝火柴棒，① 做成两个正方形。②做成 4 个全等正方形。

26. 四个三角形

使用 6 枝火柴棒做成 4 个正三角形。

27. 以 1 枝火柴棒轻松地提起 15 枝火柴棒

以 16 枝火柴棒任意组合，捏起其中 1 枝，使全部火柴棒都被提起来。

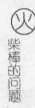

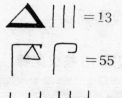
△||| = 13

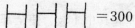
Γ△Γ = 55

HHH = 300

数学的奥妙

问：
古代希腊是采用5进法，1写成Ⅰ，5是Γ，10是△，50是Γᐃ，100是H。请问500要怎么表示？

答：表示为Γᴴ，即 500 = Γᴴ

★ 古希腊是将表示数字的那个希腊语的头个字母，作为数字使用。如 Γ ε υ τ ε 为5之意，便用Γ表示5；△ ε κ α 为10之意，用△表示10；H ε κ α τ ο 为100之意，即以H表示100。

3

想法和数法

28. 手指帮助计算

有个男孩因为背不好九九乘法表中9的倍数而困扰不已，于是男孩的爸爸替他想到一个用手指记忆的方法如下：

将两手摊平放在桌上，每根手指依序各代表1个数字，由左至右第1个手指代表1，第2个手指代表2，第3个手指代表3，以此类推，第10个手指当然代表10。接下来1至10都必须乘以9才行，这时手不要移动，只须把要乘的数字所代表的指头往上翘即可。那么，所翘起的指头左侧的手指数目代表十位数，而右侧的手指数目则表示个位数。

例如7×9时，把第7个手指（由左至右）翘起，便可发现左侧有6只手指，右侧有3只，所以$7 \times 9 = 63$。

起初听到这种机械化的方法，觉得非常奇妙。但只要依靠九九乘法表，就能揭开它的谜底。

$1 \times 9 = 9$，$2 \times 9 = 18$，$3 \times 9 = 27$，$4 \times 9 = 36$

$5 \times 9 = 45$，$6 \times 9 = 54$，$7 \times 9 = 63$，$8 \times 9 = 72$

$9 \times 9 = 81$，$10 \times 9 = 90$。

在这表里，积的十位数字规则地加 1，按 0，1，2，3
……8，9 的顺序排列，而个位数却恰好相反，有规则地减
1，按 9，8，7……1，0 的顺序，同时，个位数与十位数字
的和都是 9，所以只要翘起对应的手指，就能获得答案，可
说人的手指是最原始的计算机。

29．来回的航线

每天中午，轮船由法国的哈佛尔港启航，经由大西洋驶
往纽约。同一时刻，同一家公司的轮船从纽约出发，两艘船
的航行日期都需 7 日，请问：从哈佛尔经纽约的轮船在抵达
纽约时，共和几艘同一家公司反方向的轮船相会？

30．卖苹果

有位农妇提一篮苹果到市场去卖，第一个客人买走全部
苹果的一半再加上 $\frac{1}{2}$ 个，第二个客人买走剩余苹果的一半再
加上 $\frac{1}{2}$ 个，第三个客人再买走剩下的一半又 $\frac{1}{2}$ 个……第六个
客人也买了剩下苹果的一半加上 $\frac{1}{2}$ 个，这时农妇的苹果刚好
卖完，而这 6 个客人所买的苹果都不曾切为两半，请问农妇
带了多少个苹果到市场去？

31. 蚯蚓

星期日上午 6 点，有只蚯蚓开始爬树，从白天一直爬到晚上 6 点为止一共爬了 5m，但一到夜晚又会往下爬 2m，请问蚯蚓要到星期几的几点，才会爬到 9m 高的地方？

32. 自行车与苍蝇

A、B 两镇距离 300km，有两个人分别骑自行车从这两镇朝相对的方向出发，两人的时速都是 50km，中途都不停车。同时，有只苍蝇也和第一辆自行车从 A 镇出发，以时速 100km 的速度飞行，不久便超越第一辆自行车，往第二辆自行车飞去，一遇到第二辆自行车，立刻转向第一辆自行车，和第一辆自行车相会后，又转向第二辆自行车……如此往返在两辆自行车之间，一直到两辆自行车相遇为止，然后停在其中一人的帽子上。请问苍蝇总共飞了多少公里？

33. 狗和两个行人

两个行人在同一条路上往相同的方向前进，第一个行人时速 4km，第二个行人时速 6km，前者比后者超前 8km，这时其中一人身旁有一只狗，它从自己主人身边跑向另一位行人（时速 15km），与那名行人相遇后，立刻折回主人身边，然后再跑向另一名行人……如此往返在两个行人之间，直到第二个行人赶上第一个行人为止。请问狗到底跑了多少公里？

34.平方的简单计算法

个位数是 5 的两位整数，有个简单计算平方的方法，就是使十位数乘以比本身大 1 的数字，然后在其积的后面（右侧）加上 25，结果即为正确答案。

例如要计算 35^2 时，首先 $3 \times 4 = 12$，然后在右侧加上 25，所以

$35^2 = 1225$

同样的道理，

$85^2 = 7225$

请说明其理由。

35.把 2 移至前方，数字立刻变成两倍

某一整数的个位数是 2，把 2 移至前方，数字立刻变成两倍，请问原来的数字是多少？

36.此数究竟为何？

某数以 2 除余 1，以 3 除余 2，以 4 除余 3，以 5 除余 4，以 6 除余 5，以 7 除则刚好除尽，那么某数究竟是多少？

37. 连续整数的和

这问题可以用纸牌来解答，首先剪好 10 张纸牌，然后用铅笔在纸牌上画黑点，第 1 张纸牌上面画 1 点，第 2 张纸牌上画 2 点，第 3 张纸牌上画 3 点，以此类推，直到第 10 张纸牌上画 10 点为止。接着再以同样的方式制作一套相同的纸牌，到此准备工作已告一段落。

首先取出 1 至 10 的纸牌 10 张，然后把纸牌上的点数全部加起来，这时，把第 1 张纸牌的黑点加上第 2 张的黑点，然后再加第 3 张的点数的方法不能采用。

那么，该如何把 1 至 10 连续相加的整数和求出来呢？首先，将 10 张 1 至 10 的纸牌按顺序排列，然后将另一套相同的纸牌，以相反的顺序排在第 1 套纸牌的下方。

1 2 3 4 5 6 7 8 9 10
10 9 8 7 6 5 4 3 2 1

如此，10 张的纸牌便形成两列，也就是每 2 张一组的纸牌有十组，而每一组的点数和皆为 11，所以上下两列纸牌的点数和为 11 的 10 倍，也就是 110，不过，我们使用了两套纸牌，故每列的黑点总和是 110 的一半，也就是 55，由此可知，10 张的纸牌上共有 55 个黑点。

各位或许会发现，从 1 开始的连续整数和，都能以同样的方式求出，而不必一个个按顺序相加，例如 1 至 100 的连续整数和是 101 的 100 倍再除以 2，也就是 5050。

38. 收集苹果

100 个苹果每隔 1m 排成一列，现在，假定果农在第 1 个苹果前方 1m 处放置篮子，然后每次只拿 1 个苹果放进篮内，请问他要走多少路程才能把苹果全部收集于篮内？

39. 时钟敲了多少下？

会报时的钟一昼夜共敲了几下？

40. 自然数的总和

请求出 1 至 n 的自然数之和。

其实，有关这种特殊的问题，我们已经在前面的三个问题中思考过了，但在此以图形来想想看。首先画一个长方形，在纵线与横线上各标明 n 等分与 n＋1 等分的点，然后将这些点以平行线连接起来，于是形成 n（n＋1）个大小完全相同的小长方形格子图案（如图 19）。

此图即为 n＝8 时的情形，如图所示，在格子上画上斜线，那么斜线部分的格子数就可以 n＋（n－1）＋（n－2）＋……＋3＋2＋1 的和来表示。

另一方面，空白格子的数目，每行由右向左数的结果和上面数列完全相同，所以

$$2（1＋2＋3＋……＋n）＝n（n＋1）$$

由此可求出答案：

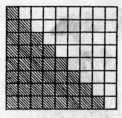

图 19

$$1 + 2 + 3 + \cdots\cdots + n = \frac{n\ (n+1)}{2}$$

41. 奇数之和

注意看看下列的式子：

$1 = 1^2$

$1 + 3 = 4 = 2^2$

$1 + 3 + 5 = 9 = 3^2$

$1 + 3 + 5 + 7 = 16 = 4^2$

这种规则（从 1 开始连续奇数的和等于合计数的个数之平方）如果成立的话，请证明之。

〔数学漫画〕③

数学的奥妙

台利斯是公元前
600年的腓尼基
人，公认为数学
史上最早的学
者。

问：

数字鼻祖台利斯前往
埃及，想正确测量出金
字塔的高度。正当他苦
思测量方法时，低头看
见自己的影子，终于悟
出绝妙的方法，请问是
什么方法？

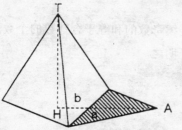

答：等到自己的影子和自
己身体一样大的时刻，再
测量金字塔的影子即
可。

★　金字塔确实太大，因此，有部分影
子是包含于金字塔本体中，正确的高
度应该是 a + b。

④

渡河与旅行

42. 水沟与木板

在长方形的广场周围，被等宽的水沟所包围（如图20），现在有两块长度和水沟宽度相等的木板，请问该如何使这两块木板变成水沟上面的桥梁？

```
                广场

            水沟
```

图 20

43. 军队

一队士兵来到河边，想渡河到对岸去，可是桥梁坏了，再加上水非常深，他们不知该如何是好。这时，指挥官发现距岸边不远之处有两名少年正在划船，可是这艘船太小，只

容纳得下士兵 1 人或少年 2 人，虽然如此，士兵们还是坐这艘船顺利渡过河。请问他们用什么办法渡河呢？

44. 狼、山羊和高丽菜

有个农夫想把他的狼、山羊和高丽菜送到河川的对岸，但是船太小了，只能载运狼、山羊和高丽菜其中之一，可是，如果把狼和山羊留在岸上，狼会吃掉羊，把羊和高丽菜留在岸上的话，山羊又会吃掉高丽菜，请问农夫到底该怎么办，才能将狼、山羊与高丽菜平安无事地送到对岸？

45. 带着随从的 3 个骑士

有 3 个骑士带着他们自己的随从在河边会合，想渡河到对岸去，碰巧发现一艘可容纳 2 人的小船，而且马也可以不涉水渡河，所以他们认为渡河应该很简单才对。没想到他们的计划却有了障碍，因为随从们都表示，不愿和自己主人以外的骑士在一起，而且无论如何威胁利诱，都没有任何效果，那 3 个胆怯的随从始终坚持他们的意见，但最后 6 人还是凭那艘只能容纳 2 人的小船，平安无事地渡过河川，同时也遵守随从的条件，请问他们如何做到的呢？

46. 带着随从的 4 个骑士

假定现在多 1 名骑士与随从，8 人在岸边会合，在与前题相同的条件下，他们也能全部平安无事地渡河到对岸去吗？

47. 可容纳 3 个人的船……

各带 1 名随从的 4 个骑士来到河边，找到一艘可容纳 3 人的船，按前两个问题的条件，他们能顺利过河吗？

48. 渡过中央有小岛的河川

各带 1 名随从的 4 个骑士，必须利用没有船夫以及只容纳 2 人的小船渡河，河的中央有个可登陆的小岛，此刻，无论何时何地随从都不离开主人身边，也不和其他骑士在一起，请问他们要用什么方法，使大家安全抵达对岸？

49. 火车 A 与火车 B

火车 B 就快到火车站了，但火车 A 却从后面赶上，所以必须让 A 先通过才行，在正轨右侧都设有避让线，专供火车暂时避让之用，但由于避让线太短，无法容纳火车 B 全部的车厢，在这种情况下，有没有办法使火车 A 先行通过呢？

50. 六艘汽船

汽船 A、B、C 沿着一条河道先后航行，同时，汽船 D、E、F 也先后沿着同一条河道迎面而来，可是，由于河道的宽度太窄，无法容纳两艘船擦身而过，不过河道的一侧有一

个恰好容纳一艘船的河湾，请问这 6 艘船如何才能顺利擦身而过，继续航行呢？

[数学漫画]④

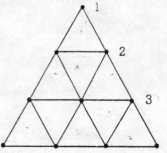

问：

数学大家毕达哥拉斯让学生数 1 至 4，然后说："你以为是 4，其实是 10，而且也是个完美的三角形。"学生听得莫名其妙，为什么，4＝10 呢？

答：1＋2＋3＋4＝10，而把 10 个点如叠金字塔般叠起来，便形成一个完美的大三角形。

5

分配的问题

51. 避免分得太细

想把 5 个饼干平分给 6 个小孩，但是，每个饼干都不能分成 6 等分。

这种类型的问题，可以想出一箩筐。例如以下列的数字来代替这问题的 5 和 6 就行了，如 7 和 12，7 和 6，7 和 10，9 和 10，11 和 10，13 和 10，5 和 12，11 和 12，13 和 12……等，想办法将前数平分给后数的问题均是。

像这类问题都是把小分数化为大分数来处理，同时，可将问题改变成如下的形态。

5 张纸，每张都不能分为 8 等分，而平分给 8 个学生的方法是什么？

思考这种问题，对于清楚又迅速地了解分数的意义，有很大的帮助。

52. 两位樵夫

尼基塔和帕威尔两位樵夫在森林里辛苦工作着，直到吃早餐时才坐下来休息，尼基塔拿出 4 个馒头，帕威尔则拿出 7 个。这时来了一位猎人，他说：

"各位，我迷路了，从这儿到村落还有一段路，可是我肚子饿了，能不能分点东西给我吃呢？"

"好啊！你坐下来吧！"

于是将 11 个馒头分为 3 等份。吃过饭以后，猎人从口袋里掏出 10 戈比的银币和 1 戈比的铜币各 1 个。

"请两位原谅，我身上只有这么多钱，你们各自平分吧！"

猎人走后，两位樵夫开始争吵。

"这些钱我们应各得一半！"尼基塔说道。帕威尔立即反驳：

"11 个馒头刚好有 11 戈比，那么，每个馒头相当于 1 戈比，你带了 4 个馒头可得 4 戈比，我带了 7 个当然就得 7 戈比……"

各位想想看，谁的计算方法比较正确？

53. 争吵

三位农夫伊凡、彼得、尼克莱的工作已告一段落，他们的收获是一大袋麦，可是身边没有量斗来量麦的重量，只好用目测法来分麦。年纪较长的伊凡把麦分为三堆。

"第一堆给彼得，第二堆给尼克莱，第三堆给我。"

"这样不公平，我那堆最小！"尼克莱抱怨着。

结果三位农夫吵了起来，还险些打架。可是，无论是从

数学的奥妙

第一堆麦分给第二堆麦一些，或是从第二堆分给第三堆，3个人都不满意。

"假如只有我和彼得的话……"伊凡不耐烦地说："马上就能分得很公道，因为我把麦平分成2堆后，先让彼得选择他喜欢的那堆，另一堆就是我的，我们两人都很满意，可是像今天这种情形，到底应该怎么办才好？"

于是农夫们开始苦思能使大家满意的办法，最好令每个人都觉得自己所分得的麦比1/3还多，最后他们终于想出来了。你知道是什么办法吗？

54. 平分成3份的方法

现在把21个木桶分给3个人，其中有7桶装满了葡萄酒，另7桶装了半满的葡萄酒，最后7桶则是空的，现在每个人要分得等量的葡萄酒与等数的木桶，可是木桶内的葡萄酒不能转移，有什么办法呢？

55. 分成两份的方法

8斗的木桶装了8斗的葡萄酒，想平分给两个人，但只有一个5斗和3斗的空桶，把这3个桶当成容器，同时兼作量斗，请问要如何把酒平分为两份呢？

56. 二等份

类似上述的问题，如今装满葡萄酒的木桶是16斗，空

029

桶有 11 斗和 6 斗各 1 个，请问该如何将酒平分为两份呢？

57．葡萄酒的分法

现在有容量 6 斗、3 斗和 7 斗的木桶 3 个，在第 1 桶与第 3 桶里各装了 4 斗与 6 斗的葡萄酒，请问能不能只使用这 3 个木桶，把葡萄酒分成两份？

〔数学漫画〕⑤

问：

埃及金字塔的底边与高有一定的比例，希腊帕特农神殿基台的长与柱高，亦有一定的比例，皆近于1：1.6。请问，这样的长与宽之比称为什么？

答：黄金比或黄金分割。

★ 长宽之比为1：1.618的长方形，称为黄金分割，被认为是最完美的形状。一般香芋盒均采用这种比例，明信片亦差不多，约为1：1.5。

1. BC的中点为E。

2. 以E为中心，ED为半径画圆，与BC延长线的交点为F。

3. 以AB、BF为两边的长方形ABFG，即是黄金长方形。

6

童话故事

58. 天鹅与鹳鸟如何解开谜底?

一群天鹅在天空翱翔,迎面忽然飞来一只不同种的天鹅,他开心地说:"你们好! 100 只天鹅先生。"可是,鹅群前方有位年长的天鹅却回答:"不,我们不是 100 只。我们的数目加上同样的数目,再加上我们的半数和 $\frac{1}{4}$ 的数目,最后再加 1 只,才会变成 100 只,但我们现在只有……你再猜猜看我们有多少只?"

孤单的天鹅一边飞一边想:我到底和多少只同伴擦身而过呢? 但无论他多么用心思考,仍然无法解开谜底。这时鹅看见一只鹳鸟在湖中,长长的脚一面走一面在找青蛙。鹳鸟非常聪明,大家都称他为"数学家",有时他好几个小时都用一只脚站着,动也不动地思考问题。天鹅很高兴地飞到湖边,游到鹳鸟身旁把情形详细告诉他。

"嗯!"鹳鸟轻咳一声,接着说:"好,我想想看,你要注意听我的解释哦!"

"我会很专心听的。"天鹅严肃地回答。

"那很好,你听到的是不是这样:鹅群的数目加上相等的数目,加上鹅群的半数,加上鹅群的$\frac{1}{4}$,再加你1只总共是100只?"

"对呀!"天鹅用力地点头。

"好,那我们到岸边去吧!我画图给你看。"

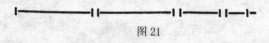

图 21

鹳鸟用他又长又尖的嘴在沙上比画着,首先他画了两条等长的线,然后又画一条$\frac{1}{2}$长度与$\frac{1}{4}$长度的线,最后再加上一点,如图21所示。

天鹅游到岸边,摇摇晃晃爬上岸,然后盯着图觉得莫名其妙。

"你看得懂吗?"鹳鸟问道。

"不,我不懂。"天鹅一副垂头丧气的样子。

"你还不懂吗?好,你注意看啰!你听到的是不是这样?鹅群数加上相同之数,加上半数与$\frac{1}{4}$的数目,然后再加你1只,所以我用画线的方式来表示,你看,这第一条代表鹅群的数目,后面是一条等长的线,半长的线与$\frac{1}{4}$长的线,最后那一点就是你自己,怎么样?看懂了没?"

"哦,我知道了!"天鹅开朗地说。

"你遇到的鹅群数目,加上同数、半数与$\frac{1}{4}$之数,再加上你自己总共有多少只?"

"100 只啊!"

"那么，扣掉你的话剩几只?"

"99 只!"

"对，对，你从图去掉表示你的那一点之后，这里就表示 99 只鹅了。"

鹳鸟说着用他长长的脚在沙上画出图 22。

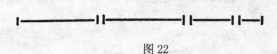

图 22

"好，接下来看看 $\frac{1}{4}$ 群与 $\frac{1}{2}$ 群合起来，有多少个 $\frac{1}{4}$ 群?"

天鹅沉吟一会，然后看着地上的图说:

"表示半群的线是 $\frac{1}{4}$ 群的线的 2 倍，所以半群代表 2 个 $\frac{1}{4}$ 群，换句话说，半群与 $\frac{1}{4}$ 群合起来有 3 个 $\frac{1}{4}$ 群。"

"了不起!"鹳鸟赞美鹅后接着问，"好，那完整的一群总共有几个 $\frac{1}{4}$ 群呢?"

"当然是 4 个啰!"天鹅很自信地说。

"对，对，你看这里有 2 个完整的一群，1 个半群和 $\frac{1}{4}$ 群，合计 99 只，把这全部通通改为 $\frac{1}{4}$ 群，总共有几个 $\frac{1}{4}$ 群呢?"

天鹅想了一会儿才回答:

"完整的一群相当于 4 个 $\frac{1}{4}$ 群，再加上另一群也是 4 个 $\frac{1}{4}$ 群，合起来有 8 个 $\frac{1}{4}$ 群，接下来，半群相当于 2 个 $\frac{1}{4}$ 群，那么就有 10 个 $\frac{1}{4}$ 群了，加上 1 个 $\frac{1}{4}$ 群，全部总共有 11 个 $\frac{1}{4}$ 群，也就是 99 只天鹅。"

"对，那你知道结果了吗？"鹬鸟又问。

"结果，我遇到那群鹅的 $\frac{1}{4}$ 的 11 倍是 99 只。"天鹅很快地回答。

"那么，1 个 $\frac{1}{4}$ 群有多少只天鹅呢？"

"1 个 $\frac{1}{4}$ 群有 9 只天鹅。"

"那本来鹅群有多少只呢？"

"一群天鹅有 4 个 $\frac{1}{4}$ 群……啊！我遇到的那群天鹅有 36 只！"天鹅兴奋地嚷起来。

"嗯！对极了！可是你自己却没办法解答，对不对？天鹅先生！"鹬鸟得意扬扬地说。

数
学
的
奥
妙

59. 农夫与恶魔

有位农夫一边走一边抱怨："实在太苦了！我为什么过得那么辛苦呢？人又穷又苦活着还有什么意思？口袋里只有几个铜板，一下子就会花光了！可是有些人不但很富有，财源还滚滚而来，这实在太不公平了！谁能帮助我变得富有呢？"

话说完的那一刹那，恶魔出现在他眼前。

"你刚才说什么？如果你需要钱，我可以帮你，因为这实在太简单了！你看见那座桥没有？"

"看到了。"农夫点点头，心里非常恐惧。

"你只要走过那座桥，你口袋中的钱就会增加一倍，再走回来又增加一倍，每走一次桥，你的钱就会变成两倍。"

"真的吗？"农夫不敢置信地问。

"当然是真的！"恶魔很肯定地回答，"我告诉你的绝不会错！不过，我要你的钱每增加一倍时就给我 24 戈比，你说怎么样？"

"先生，没问题！"农夫爽快回答，"我每过一次桥钱就多了一倍，所以每次给你 24 戈比根本不算什么，我现在可以开始了吗？"

果真，农夫走过那座桥，钱就增加一倍，他遵守诺言付给恶魔 24 戈比，再回头走第二次，钱又多了一倍，他当然又数 24 戈比给恶魔，接着再走第三回，口袋里的钱又变成两倍，但此时农夫的钱恰好是 24 戈比，为了遵守约定，只好把钱通通给了恶魔，身上连一毛钱都没剩下。

请问农夫身上原本有多少钱？

〔数学漫画〕⑥

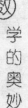

数 学 的 奥 妙

问：

如哥白尼的地动说般，以某一事件为起始，而使整个世界为之改变，称为什么？

①地动说式逆转

②哥白尼革命

③哥白尼式回转

哇！

答：③哥白尼式回转。

★ 哥白尼（1473～1543）是波兰的科学家、数学家、天文学家、神学家兼医师。他推翻了过去1400年间支配世界的地心说，而公开发表日心说，促进近代科学发展。像这种情形，以"哥白尼式回转"一词来表现的，是哲学家康德。

60. 农夫与马铃薯

有一天，三位农夫到客栈里吃饭和休息，他们吩咐老板娘煮一锅马铃薯之后，就到房间里睡觉。老板娘煮好马铃薯之后并未叫醒他们，只是把装着马铃薯的汤碗摆在桌上就离开了。一位农夫醒来，看见桌上的马铃薯，并不吵醒其他两个朋友，把他自己的那份吃完之后又继续睡。过一会儿，第二位农夫醒来，他不知道一位朋友已经吃过了，于是他数一数碗中的马铃薯，吃掉其中的 $\frac{1}{3}$，然后又继续睡。接着第三位农夫醒来了，他以为他是第一个醒来的，所以数一数碗中的马铃薯，吃掉其中 $\frac{1}{3}$。这时其他两位农夫都醒了，看见碗内还剩下 8 个马铃薯，立刻恍然大悟。请问老板娘原先在桌上摆了几个马铃薯，然后他们三人各吃了多少个？剩下的 8 个马铃薯要如何分配才公平？

61. 两位牧童

伊凡和彼得两位牧童相遇，伊凡向彼得说："把 1 只羊给我吧！那我的羊群数目就能成为你的 2 倍了。"彼得摇摇头说："不，还是你分 1 只羊给我比较好，那么，我们的羊就一样多了。"

请问伊凡和彼得各有几只羊？

62. 奇妙的买卖

两位农妇到市场里卖苹果，其中一位农妇每 2 个苹果卖 1 戈比，另一位则每 3 个苹果卖 2 戈比。

她们篮中分别有 30 个苹果，第一位农妇估计自己卖完苹果之后可得 15 戈比，第二位农妇则预估要赚 20 戈比，二人合起来共赚 35 戈比。为避免恶性竞争，二人商量之后决定把苹果合起来卖，第一位农妇说："我的苹果每 2 个卖 1 戈比，你则是每 3 个卖 2 戈比，如果我们想获得预定的钱，全部 60 个苹果应该每 5 个卖 3 戈比才对。"

于是二人把苹果合在一起（总共 60 个），每 5 个就卖 3 戈比。

卖完之后才觉得奇怪，因为结果比预定多出 1 戈比，也就是 36 戈比，这多余的 1 戈比是怎么多出来的呢？二人都觉得莫名其妙，请问到底是怎么一回事呢？多出来的 1 戈比要给谁比较公平呢？

当两位农妇为了这项意外的收入而苦思不解时，旁边两位农妇听见这情形，也想多赚 1 戈比。

这两位农妇也各带了 30 个苹果，第一位农妇每 2 个苹果卖 1 戈比，第二位农妇每 3 个苹果卖 1 戈比，因此，她们预定全部卖完时，第一位农妇可得 15 戈比，第二位农妇可得 10 戈比，合计应该得 25 戈比才对。她们模仿前面二人的方式合作卖苹果，第一位农妇说："既然我的苹果每 2 个 1 戈比，你的每 3 个 1 戈比，那么，我们每 5 个苹果卖 2 戈比，就能得到预定的数目。"

于是她们把苹果弄成一堆，每5个就卖2戈比，可是全部卖完后只得到24戈比，换句话说，也就是亏损了1戈比。

两位农妇不知道为什么会这样？还有到底谁必须负担那亏损的1戈比呢？

63. 捡到钱包

四位农夫——席多、卡普、帕风、波卡——从镇上回来时，一路谈着钱不够用的事。

"喷！"席多突然说道，"假如现在捡到一个装满钱的皮包，我只要拿其中的 $\frac{1}{3}$，剩下的都给你们。"

"如果是我……"卡普喃喃自语，"我们4个人平均分配。"

"我只要能得到 $\frac{1}{5}$ 就很满足了！"帕风回道。

"我能得到 $\frac{1}{6}$ 就够了。"波卡也接着说，"可是说这些都没有用，怎么可能在路上捡到钱呢？不会有人那么傻，把钱丢在路上……"

话还没说完，四个人就发现路边果真有个钱包，于是赶忙过去捡起来，按照他们的想法，席多分得全部钱数的 $\frac{1}{3}$，卡普也分得钱财的 $\frac{1}{4}$，帕风得 $\frac{1}{5}$，波卡得 $\frac{1}{6}$。

打开钱包，发现里面有8张钞票，其中一张是3卢布，其余分别是1卢布、5卢布和10卢布的钞票，但如果没去换零钱，四人就无法获得自己应得的部分，所以他们决定待在这里等候，一有人经过就和他换钱。这时刚好有人骑马过来。

"嘿！我们捡到钱包，"四位农夫异口同声地说，"想把里面的钱平分掉，你有 1 卢布的钞票和我们换吗？"

"我身上没那么多 1 卢布的钞票，不过，你们先把那个钱包给我，我加上我本身的 1 卢布，使你们各得你们原先所预期的钱数，而我只要剩下来的钱包就好了。"

农夫们欣然同意，于是那名骑士把钱全部拿出来，分给席多 $\frac{1}{3}$，卡普 $\frac{1}{4}$，帕风 $\frac{1}{5}$，波卡 $\frac{1}{6}$，然后将钱包归于自己所有。

"好，各位多谢啦！你们满意，我也满意！"说完就骑马离开。

那些农夫觉得很奇怪。

"他为什么要谢我们呢？"

"我们来算算看全部的钞票有几张就知道了。"卡普提议道。

他们数一数仍然是 8 张没错。

"可是，那张 3 卢布的钞票在谁身上？"

"我们都没拿到。"

"那究竟到哪儿去了？难道我们被他骗了？现在大家算算看我们被骗了多少钱？"

四人在心里默默地计算着。

"不！我得到的比预定还多呢！"席多先喊出来。

"嗯，我也多了 25 戈比（1 卢布有 100 戈比）。"卡普接着说。

"为什么会变成这样？为什么他给我们四个人的钱比预定中还多呢？而且他还拿走了 3 卢布的钞票，可见我们上当了！"农夫们最后下了结论。

请问农夫到底捡到多少钱？那名骑士有没有骗他们呢？他各分给四个人多少钱？

64. 分配骆驼

有位老人在临终前把骆驼分给他三个儿子，老大得到全部的一半，老二获得 $\frac{1}{3}$，老么获得 $\frac{1}{9}$。老人死了之后，留下 17 头络驼，当三个儿子想分配骆驼时才发现：17 不能被 2、3、9 除尽。于是兄弟三人去请教村里的长老，结果长老骑自己的骆驼过来。然后按照老人的遗嘱分配。请问他是怎么做到的？

65. 桶里究竟有多少水？

有一则故事是这样的：某位农夫雇用一名男子，要求他做一项很奇怪的工作。

"这里有一个木桶，只要你装半桶的水在里面，不能多也不能少，而且不能使用木棒或绳子来量。"

最后这名被雇用的男子完成了农夫交代的工作，请问他用什么办法去测量桶内的水究竟有多少？

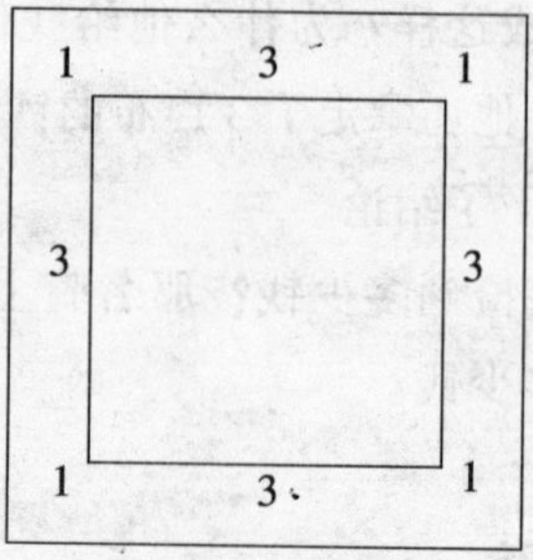

图 23

66. 分派卫兵

在正方形的城堡里，16 个卫兵沿着城墙站岗，小队长将他们分配如图 23 所示，每边各 5 人。这时中队长来了，他不满意这种分配方式，于是下令将每边改为 6 人。中队长走了之后，将军来了，他认为中队长的命令很不妥当，并且大发脾气，然后将每边改成 7 个卫兵。

卫兵人数不变，那么，后来的两种分配方式应该如何呢？

〔数学漫画〕⑦

问:
说出"人类是会思考的芦苇"这句名言的数学天才巴斯加,据说是最早发明计算器的人。是真?是假?

消费者都主张节税!

答:真的。虽然这部计算器仅能用于加减法计算,但却是他为替父亲解决税务计算的烦恼,所发现的世界第一部手动式计算器。当时他只有 18 岁。

★ 巴斯加(1623~1692)是法国的哲学家、数学家及物理学家。十几岁时,就自己钻研,发现阿基米得几何学的定理。16 岁发表"圆锥曲线论",以巴斯加定理而闻名。

67. 被蒙骗的主人

主人在酒窖里设置一个隔成9格的正方形酒柜，中间那格为了摆空瓶，所以不放酒，角落的4个格子里各摆6瓶酒，四周的中央各摆9瓶酒，合起来总共有60瓶，同时正方形每边各有21瓶酒（如图77）。

图 24

某个仆人发现主人在清点瓶数时，只是数一数正方形各边是不是21瓶而已，因此，仆人先偷了4瓶酒，然后将其余的酒排成每边21瓶。等到主人来检查的时候，按照以往的方式数了几遍，发现每边仍然是21瓶，故以为仆人只是把酒瓶的位置稍作变更，并不很在意。仆人见主人如此粗心大意，又悄悄地偷了4瓶，把剩余的酒瓶排成每边21瓶。请问这仆人在行得通的情况下，反复偷了几瓶酒？

68. 伊凡王子和只会数到10的魔术师

在此简单扼要地介绍一个有趣的故事，不过，和我们有关的只是这故事里的数学问题。

有个王国的王子名叫伊凡，他有 3 个妹妹，大妹妹是玛丽亚公主，二妹是欧佳公主，么妹是安娜公主，他们的父王和母后很早以前就去世了。

伊凡王子把 3 个妹妹分别嫁给铜国、银国与金国的国王，自己一人留在王宫里。和妹妹分开一年后他觉得很寂寞，于是决心去找妹妹们。

途中，伊凡王子邂逅了美丽的艾莉娜，两人不久就陷入爱河。可是好景不常，长生不老的魔术师喜欢艾莉娜的美色，强行将她掳走，并强迫艾莉娜嫁给他，可是，艾莉娜抵死不从，魔术师一怒之下施展法术把艾莉娜变成一棵小小的白桦树。

伊凡王子心焦地带领士兵寻找艾莉娜，经过长途的跋涉之后，终于到达女巫的古堡，然后把详细情形告诉女巫，并要求女巫协助他寻回心爱的艾莉娜。由于女巫和魔术师是死对头，所以女巫立刻便同意了。

"想要化解魔术师的魔法，必须要请铜国、银国、金国的国王，在深夜 12 点和你一起念咒文，就能破解魔术师的法术了，同时还会使魔术师丧失法力。"

然而，有只乌鸦听到女巫和伊凡王子的对话，偷偷跑去报告魔术师。

女巫在临别前送给伊凡王子一个魔戒。

"这魔戒会带你到魔术师那里，假如需要开锁或锁紧的话，只要命令魔戒，立刻能如愿以偿，祝你好运！"

伊凡王子的士兵们一离开古堡就被埋伏已久的魔术师抓走，把他们关进一个很深的地窖里。

"伊凡，我绝对不会让你再见艾莉娜一面！"

故事接下来描述地窖的情形，在正方形的地窖里，沿着墙壁设置了8个牢房（如图25，以小方格表示），地窖的出

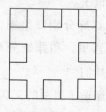

图25

口只有1个，却用7道门锁得密不透风。伊凡王子和士兵总共有24人，于是魔术师分配每个牢房关3个人。

每天晚上，魔术师都到地窖嘲笑伊凡王子，并清点人数，由于他只会从1数到10，所以在检查时都是数一数每边3个牢房是不是9个人，然后才放心离去。

可是这些困难根本难不倒伊凡王子，他利用魔戒的神力把7道门全部打开，然后派三名士兵分别到铜国、银国、金国去求救；同时为了避免魔术师起疑心，伊凡王子把剩余的士兵重新配置，使每边合计都是9个人。

隔天晚上魔术师又到地窖里，他抱怨士兵们没有乖乖地待在牢房里，接着清点每边的人数，发现都是9个人，所以没有怀疑。

没多久派出去的士兵和铜国、银国、金国的国王一起回到魔术师宫殿的地窖里。

那时魔术师刚好又来清点人数，由于伊凡王子把全部士兵和3个国王沿着墙壁每边排成9人，因此又一次成功地骗过魔术师。

在深夜12点的时候，3个国王和伊凡王子一起到宫殿

门口念咒文，结果，艾莉娜立刻恢复原来美丽的模样。大家平安无事地离开魔术师的王国，最后伊凡王子和艾莉娜结婚，从此两人过着幸福快乐的生活。

故事到此结束，剩下的问题是，伊凡王子如何安排人犯，才能成功地骗过魔术师两次？

69. 寻找蘑菇

有个爷爷带了 4 个孙子到森林里找蘑菇，一到森林大家就分头去找蘑菇。半小时之后，爷爷在树下清点大家所找到的蘑菇，数一数总共有 45 个。可是这 45 个通通是爷爷找到的，四个孙子都两手空空回来，一个蘑菇也没找到。

"爷爷！"其中一个孙子要求道，"我不想拿着空荡的篮子回家，你的蘑菇分一点给我好不？反正你很会找蘑菇，分一些给我没关系。"

"爷爷，我也要！"

"我也要一些！"

于是爷爷把蘑菇通通分给孙子，自己一个都没有剩下。接着大家又分头去找蘑菇，最后第一个孙子找到 2 个蘑菇，第二个孙子弄丢了 2 个，第三个孙子找到的蘑菇数量和爷爷所给的相同，第四个孙子则把爷爷给他的蘑菇弄丢一半，回家时大家数一数篮内的蘑菇，发现四个人都一样多。

请问这四个孙子从爷爷那儿得到多少蘑菇？回家时又拥有几个？

70. 总共有几个蛋？

有位妇人提着一篮鸡蛋沿途叫卖，但一个行人在擦身而过时不小心把那篮鸡蛋撞落在地，里面的蛋全都破了。于是行人想用现金来赔偿妇人所损失的鸡蛋，他问妇人篮内一共有多少鸡蛋，妇人回答："不清楚呢！我只知道把蛋每 2 个一数余 1，每 3 个、每 4 个、每 5 个、每 6 个一数也都余 1，但每 7 个一数就刚刚好，不多也不少。"

请问妇人共带了多少鸡蛋？

71. 把钟调回正确的时间！

彼得和伊凡两人是好朋友，而且住在同一镇上不远之处。他们家里各有 1 个挂钟。有一次彼得忘了旋紧自己家里挂钟的发条，结果钟停止不动。"我要到伊凡家里去，顺便看看正确的时间。"彼得说完后到伊凡家里去，回家后顺便将自己家里的钟调回正确的时间。

请问他如何做到的？

72. 猜猜看，被墨水弄脏的数字是什么？

在笔记里发现如图 26 的备忘。

每匹值 49 卢布 36 戈比的布料，卖了 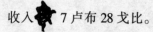 匹，

收入 7 卢布 28 戈比。

图 26

这项记录由于几个地方沾到墨水，所以卖出去的匹数和收入前面3个数字看不清楚。请你从剩余的资料判断，这些被墨水弄脏的数字是什么。

〔数学漫画〕⑧

1 + 2 + 3……99 + 100　　Ⓐ

这样逐一加下去任何

人都会计算,但他又

再写出另一数列:

100 + 99……3 + 2 + 1　　Ⓑ

然后Ⓐ + Ⓑ,得出

101 + 101 + ……101 + 101

接下来该怎么做呢?这才是真正的问题。

问:

近代数学大王高斯念小学二年级时,老师问:"1加到 100 的总和是多少?"没想到他立刻回答:"5050!"他的计算方法如下——

答:101×50

A + B 为 101 + 101…… + 101 + 101 共加 100 次,其实真正的和只有一半,因此答案为:$101 \times 100 \div 2 = 101 \times 50 = 5050$。

能用如此简易的算法,不愧是数学天才。

73. 一群白吃白喝的士兵

某家小吃店沿着墙壁各摆 1 张桌子，总共摆了 4 张，这时有 21 个士兵刚演习完毕，又饥又渴的士兵到店里来，老板立刻招待他们坐下，每张桌子坐 7 个人，3 张桌子刚好可以容纳 21 个士兵，剩余的那张桌子由老板一人独坐（图 27 的短线代表老板和士兵）。稍后，士兵们与老板约定，包括老板在内共 22 人，以顺时钟的方向来数，每数到 7 人，那 7 人就离开店里，最后剩下的那个人付账。结果，最后剩余的那个人就是老板，士兵们早已不知去向。请问，要从谁算起才会这样？

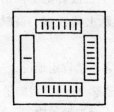

图 27

接下来，如果 3 张桌子各坐 4 名士兵，想要老板付账时，又应该从谁算起才对？

74. 马车夫和乘客的赌注

在客栈门口，一个脾气暴躁的乘客，一看见马车夫立刻问道：

"你是不是该把马牵过来准备一下了?"

"你说什么?"马车夫回答,"30分以后才要出发,在这段时间里,我可以将马绑上又解开20回呢!我不是新手……"

"哦,那么你的马车能系几匹马?"

"5匹。"

"系那么多马需要几分钟?"

"顶多2分钟。"

"真的?"乘客怀疑地问,"5匹马在2分钟之内绑好!这速度快得令人无法置信。"

"那没什么。"马车夫露出自负的神情,"从马厩里把马牵出来,套上马具,然后装上有支棍的拖绳和马缰,再把支棍上的铁环挂在挂钩上,接着把中间的马很牢靠地绑在车辕,然后握住马缰,跃上驾驶座,高喊一声:'出发!出发!'就大功告成了!"

"嗯,真好。"乘客不禁肯定地说,"我相信你能在30分内将马绑好又松开,连续20回。但如果把马一匹匹地解开、绑住,你可能一二个小时都做不完。"

"才不会呢!"马车夫很傲慢地说,"你的意思是不是把1匹马绑好之后,再解开换另1匹?不管是以什么方式,我都能在1小时之内把它们全部绑好,1匹弄好之后换另1匹,这样就好了嘛,这很简单啊!"

"不,不,我的意思不是这样。并不是叫你把马按我喜欢的方式来换……"乘客急忙解释道,"如果你所言不虚,每换1匹马只需1分钟即可,那么,我要你把5匹马变成所有可能的顺序,这样你需要费多少的时间?"

由于自尊心作祟，马车夫很快地回答：

"还是一样，我绝对能在 1 小时之内，把马匹能够变换的位置全部更换一遍。"

"如果你真的能在 1 小时之内做好，我就给你 100 卢布。"乘客和马车夫打赌说。

"好！如果我没有办法做到，虽然我并非不想赚钱，但还是免费载你一程，如何？"马车夫答道。

结果究竟如何，各位知道吗？

75. 谁是谁的妻子？

有三个农夫——伊凡、彼得、亚力克，分别带着他们的妻子到市场去购物，而三个妻子的名字分别是玛丽亚、卡狄莉娜以及安娜。至于谁是谁的妻子就不得而知了，只能从下列的条件来推测：假设他们 6 人，每人花在买商品的戈比数等于商品数量的平方，而且每个丈夫比自己的妻子多花 48 戈比，现在伊凡比卡狄莉娜多买 9 件商品，而彼得比玛丽亚多买 7 件。

请问，究竟谁是谁的妻子？

陆

童话故事

〔数学漫画〕⑨

数学的奥妙

056

$$\sqrt[3]{6064321219}$$

的结果 = 1823.591

1823 是年代，

0.591 表示月日。

究竟是指几月几日呢？

提示：它是 1 年的 0.591 之意。

问：

对前人未曾研究的椭圆函数进行挑战的阿培尔，从留学地写信给中学时代的恩师时，日期如图表示。

答：8 月 4 日。

　　1 年的 0.591 是 $365 \times 0.591 = 215.715$ 日，1823 那年是平年，那么，第 216 日便是 8 月 4 日，也就是 1823 年 8 月 4 日。

7

折纸的问题

每个读者可能都有用正方形的纸片，折成小船或盒子的经验，这些都是利用正方形的纸张，以各种方式所折出来的，同时，我们凭着许多折线才能将纸折成心中想要的形状。不过，在此介绍各位读者，使用纸上的折线不仅能折出许多有趣、奇妙的图案，还能对平面上许多图形与特质具备更清晰的概念。现在准备普通的白纸以及能够压平皱褶与割掉多余部分的刀片，只是这些道具就足以让我们开始学习几何图形的基本知识。

首先把纸折起来，使其中 2 点重叠在一起，接着手指捏住那 2 点，用刀背压平皱褶，到此为止大家应该都有这样的经验，但有没有想过这折线为什么是直线呢？其实，稍微一想便知其中的道理与几何学的一种定理相同。也就是与固定 2 点之间等距离的点，集合起来便成为一线。

一般而言，在有关几何学的基本问题里，经常会用到这项定理。

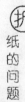

76. 长方形的做法

现在有张形状不规则的纸，如何利用1把刀片，把它割成长方形？

77. 正方形的做法

将长方形的纸折成正方形看看。

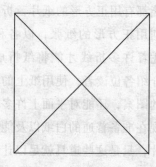

图 28

现在我们透过问题的答案（请参考书末的解答部分）来说明正方形的特质。通过2个相对顶点的折线，可说是正方形的对角线，接着再折能够通过正方形另外2顶点的折线出来，如图28所示，就形成另一条对角线，实际上加以重叠，就会发现正方形的2条对角线互相垂直平分，而这2条对角线的交点就是正方形的中心。

每条对角线可将正方形分成2个全等三角形，这些三角形的顶点都位于正方形的顶角上，而且都拥有等长的两边，故可称之为等腰三角形，同时这些三角形都拥有1个直角，

数学的奥妙

所以也称为直角三角形。

由此可见，正方形的 2 条对角线可将正方形分割为 4 个等腰直角三角形，而这 4 个三角形的共同顶点为正方形的中心。

接下来我们将正方形对折，使其 1 边和相对的那边重叠，就可以获得 1 条通过中心的折线（如图 29），在此简单说明这条折线的性质：①与正方形另 2 边垂直。②将那 2 边平分。③和正方形相对的 2 边平行。④其中点恰好是正方形的中心。⑤此折线将正方形分成 2 个全等的长方形，⑥这长方形的对角线所分成的三角形一样大小（面积相等）。现在把正方形连续对折两次，所形成的 2 条折线将原来的正方形分成为 4 个全等正方形（如图 29）。

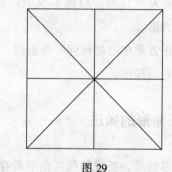

图 29

现在把这 4 个小正方形，连接本来大正方形的各边中央 2 个顶点（沿着小正方形的对角线）对折看看，如此就能得到此正方形的内接正方形（如图 30），这个内接正方形的面积不仅是大正方形的一半，其中心也和大正方形的中心相同，这是很容易便能确认的。接着再把内接正方形的中央各点依序连接，又可得到 1 个面积为原本正方形 1/4 的小正方形（如图31）。

在这个小正方形里，还可按照上述的方式，做1个内接正方形，其面积为原来正方形的$\frac{1}{8}$，然后可以同样的方式再

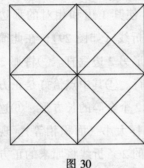

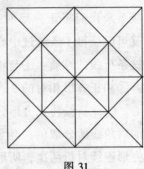

图30　　　　　　　　　　　　　　　图31

做一个面积为大正方形$\frac{1}{16}$的小内接正方形，如此继续下去，可做出无数个正方形。

此外，通过正方形中心的任何一条折线，都可将正方形中心分成2个全等的梯形。

78. 等腰三角形的做法

将1张正方形的纸，折成等腰三角形看看。

79. 正三角形的做法

把正方形的纸折成1个正三角形。

现在我们来看看这个正三角形（请参考后面的解答部分），有何性质？把做好的正三角形的2边及底边重叠，可

获得 3 条代表三角形高的垂线，AA′，BB′，CC′（如图 32）。

观察图 32 就能了解正三角形所具有的特性。

每条垂线都把三角形分为 2 个全等直角三角形。

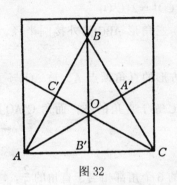

图 32

同时也平分对应边，并且和对应边互相垂直。

此外，这 3 条垂直线交于一点。

假设 AA′ 与 CC′ 的交点为 O，而直线 BO 延长直至 B′ 和 AC 相交，现在证明线段 BB′ 也是三角形的垂线之一。其实，观察三角形 C′OB 与 BOA′ 就能明白其中的道理。

首先我们都知道，|OC′| = |OA′|，于是角 OBC′ 和 A′BO 相等，那么就能了解三角形 AB′B 与 CB′B 中，角 AB′B 和角 CB′B 不仅相等，而且都是直角，所以 BB′ 为正三角形 ABC 在 AC 边上的垂直线，同时也是三角形的 3 条垂直线之一。

同理，OA、OB 以及 OC 相等，那么，OA′、OB′ 和 OC′ 也是相等。

因此，可以 O 为圆心画出通过 A、B、C 的圆，以及通过 A′、B′、C′ 的圆，后者与三角形的各边内接。

正三角形 ABC，可分为 6 个有相同顶点的全等直角三角形，同时也可分为能够画出外接圆的 3 个全等四角形。

而三角形 AOC 的面积为三角形 A′OC 的 2 倍，

于是　　　$|AO| = 2|A′O|$

同理　　　$|BO| = 2|B′O|$

　　　　　$|CO| = 2|C′O|$

换句话说，三角形 ABC 的外接圆半径，等于内接圆半径的 2 倍。

此外，正方形的直角顶点 A，被 AO 与 AC′分割成 3 等分，所以角 BAC 等于直角的 $\frac{2}{3}$，而角 C′AO 和 OAB′ 则为直角的 $\frac{1}{3}$。

至于点 O 的 6 个角都相当于直角的 $\frac{2}{3}$。

现在将纸沿直线 A′B′，B′C′，以及 C′A′ 折看看（如图

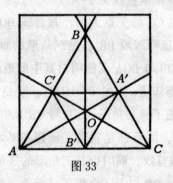

图 33

33)，会发现三角形 A′B′C′ 也是 1 个正三角形，其面积为三角形 ABC 的 $\frac{1}{4}$，同时，A′B′，B′C′，C′A′ 不仅分别和 AB，BC，及 CA 平行，前者的长度还刚好是后者的一半。此外，AC A′B′ 很明显是个平行四边形，C′BA′B′ 和 CB C′A′ 也一模一样，至于垂线 CC′，AA′，BB′ 则分别被 A′B′，B′C′，C′A′

平分。

80. 正六角形的做法

把正方形的纸折成 1 个正六角形看看。

我们将问题的结果，再做更进一步的研究。

如图 34 所示，由正三角形和正六角形所形成的漂亮图案，是很容易做到的。

首先，将正六角形的各边 3 等分，然后分成许多全等的正六角形和正三角形（如图 35），就形成一幅很美丽的对称图案了。

不过，也可以如下的方式来做正六角形。先做成 1 个正三角形，接着把三角形的顶点往中心折。

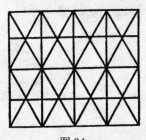

图 34

我们藉由正三角形所得到的概念，可以很轻易地了解以这方式所得到正六角形的边，为本来正三角形边的 $\frac{1}{3}$。同时，这个正六角形的面积相当于原来正三角形面积的 $\frac{2}{3}$。

图 35

81. 正八角形的做法

在正方形的纸上做个正八角形看看。

你考0分，还敢说风凉话？

妈妈！你认为是哪一种？

问：
-4、2、4、6……等，能以2除尽的数，称为偶数；1、3、5、7……等，以2除余1的数，称为奇数。这是一般人都知道的常识。

那么，0是奇数还是偶数？

065

答：是偶数。

★ 0被视为偶数，因此应解释成："所谓偶数是-4、-2、0、2、4……等……"才对。

82. 特殊证明

学过几何的人应该都知道，三角形的内角和刚好是 2 个直角。但很少人知道只须要 1 张纸就能够"证明"这项基本定理。

为什么要将"证明"用引号来表示呢？严格地说，与其称之为证明，倒不如说使用简单的实物来说明比较恰当。但无论如何，这种富于机智的方法，不仅非常有趣，也更值得大家参考。

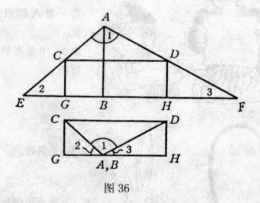

图 36

首先，把纸任意割成一个三角形，然后沿着直线 AB（如图 36）折纸，使底边的左右重叠。接着再沿直线 CD 折三角形，使顶点 A 和 B 重叠，然后把三角形沿直线 DH 与 CG 折起来，使点 E 和点 F 与点 B 重叠，如此就得到长方形 CGHD，可见三角形的 3 个内角（1，2，3）和为 180°。

由于这方法的道理一目了然，所以，即使是没学过几何的儿童也能够了解这项基本定理的意义，至于具有几何常识的人，对于折三角形的纸就能获得心里想要的结果的问题，则会感到非常有趣。其实，要清楚了解这道理并不难，但，在此作者不想剥夺各位读者自己去寻找这种特殊"证明"方式的乐趣。

83. 毕氏定理

请证明边长为直角三角形的斜边的正方形面积，与边长各为直角三角形其他两边的两个正方形的面积和相等。

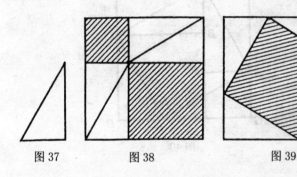

图 37   图 38   图 39

直角三角形如图 37 所示，然后画出以不和直角相对的 2 边和为边长的正方形 2 个，在图 38 与 39 的正方形中，按照图中的方式作图看看，接下来根据图形，从 2 个完全相同的正方形里扣掉四个相等的直角三角形，照理说，从相等的面积里扣掉相等的部分，所剩余的部分也应该相等才对。如图 38 与 39 所示，将残余的部分画上斜线，就会发现图 38 所剩余的部分，刚好是 2 个正方形，而这 2 个正方形的边长恰好是直角三角形不与直角相对的 2 边，另一方面，图 39 的斜线部分则是 1 个以直角三角形斜边为边长的正方形，由此可见，前面 2 个正方形的面积和刚好等于后面的正方形面积。

于是，著名的毕氏定理就被证明出来了。此外，将正方形的纸折成如图 40 的折线，也能证明这项定理。

在这场合里，GEH 为直角三角形，以 EH 为边长所做的正方形面积，和以 EG、GH 为边长所做的 2 个正方形的面积和相等。

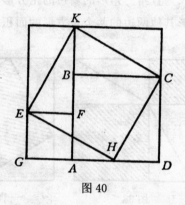

图 40

84．要怎么割呢？

接下来不仅折纸，还要用刀片把纸割开，于是产生更多有趣的问题。

3 个相等的正方形排列如图 41 所示，把这图形割去一部分，使剩余的部分合成 1 个中央有正方形空缺的正方形。

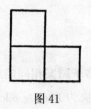

图 41

85. 将长方形变成正方形

现在有 1 张长方形纸宽为 4，长为 9，把长方形割成全等的 2 块，使这 2 块合成 1 个正方形。

86. 地毯

某个主妇有块 120cm×90cm 的长方形地毯，可是其中 2

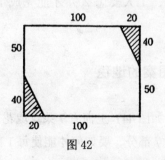

图 42

个对角磨损了，必须将其剪除（图 42 的三角形斜线部分），由于这名主妇想将地毯恢复成原来的长方形，所以，她打算把缺了两角的地毯剪成 2 块，然后再缝成长方形，地毯工人便按照主妇所要求的条件，将地毯恢复为长方形。

请问他如何办到的呢？

87. 两块地毯

某个主妇有 2 块格子图案相同的地毯，其中 1 块的尺寸为 60cm × 60cm，另 1 块为 80cm × 80cm，如今她想利用这 2 块地毯做 1 块 100cm × 100cm 的格子地毯。

图 43

地毯工人接受这项工作，并和主妇约好：2 块地毯都不能裁成 3 块以上，而且每个格子都不能遭到破坏。

在这情况下，工人要怎么办才能完成主妇所交代的工作？

88. 玫瑰图案的地毯

有块地毯（如图 44）上面有 7 朵玫瑰花，现在想以 3 条直线将地毯分成 7 部分，要如何才能使每 1 部分都有 1 朵玫瑰花？

89. 将正方形分成 20 个全等三角形

将正方形的纸割成 20 个全等三角形，然后再并为 5 个

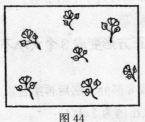

图 44

相等的正方形。

90. 由十字形变成正方形

由 5 个相等的正方形所做成的十字形，分割为几部分，组合成 1 个正方形。

91. 把 1 个正方形变成 3 个相等的正方形

把正方形分成 7 个部分，然后组合成 3 个相等的正方形。

将此问题一般化，就如同下列的方式。

①把正方形分割成几部分，然后再并成数个相等的正方形。

②分解正方形，然后再合并成几个相等的正方形，也就是把原来的正方形变成好几个相等的正方形。

92. 将 1 个正方形变成 2 个大小不同的正方形

把正方形分成 8 部分，然后将这 8 部分组合成 2 个正方形，使其中 1 个面积为另 1 个的 2 倍。

93. 将 1 个正方形变成 3 个大小不同的正方形

把正方形分成 8 部分，然后再组合成 3 个正方形，使这 3 个正方形的面积比例为 2:3:4。

94. 将六角形变成正方形

分解正六角形为 5 部分，将这 5 部分组合成正方形。

〔数学漫画〕⑪

1 2 3

▶ 1是点, 2是直线, 3是平面,

哼!

我要郑重声明, 这可不是我的大便。

问:
●一个是点, ●●两个可成一线, ●●●三个可成一平面, 那么●●四个可成什么?

……原来如此

4

▶ 4是立体。

答:成立体。

8

图形的魔术

95. 遁形线之谜

在长方形纸上如图 45 所示，画出 13 条等长的线段，接着顺沿由左端线的上方至右端线的下方的连线 MN，把长方形割成 2 部分，然后把那 2 部分如图 46 移动，就会产生有趣的情形，13 条线变成 12 条线了！其中 1 条线忽然消失得无影无踪，猜猜看，它究竟躲到哪儿去了？

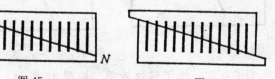

图 45　　　　　　　　　图 46

其实，把这 2 个图所画的线段长度加以比较，就会发现图 46 的线段比图 45 的线段长 $\frac{1}{12}$，换句话说，第 13 条线并没有凭空消失，而是平分给 12 条线，每条线平分到 $\frac{1}{12}$ 罢了。

至于几何学的理由，也很容易了解（参考图示），研究直线 MN 和所连接的平行线上端所形成的角，平行线横断角的内部，而和角的两边形成相交的状态，由于三角形相似，直线 MN 从第 2 条线切掉 $\frac{1}{12}$，第 3 条线切 $\frac{2}{12}$，第 4 条线切 $\frac{3}{12}$，直到第 13 条线为止，各依序增加 $\frac{1}{12}$，然后将 2 张纸片移动，如此每条线（从第 2 条以后）所切掉的部分，会加在前面那条线下部分的上方，每条被切掉的线都比原来长 $\frac{1}{12}$，但由于增加的部分极为渺小，乍看之下不易察觉，因此第 13 条线就好像莫名其妙地消失一般。

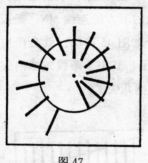

图 47

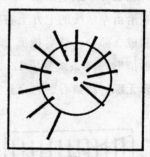

图 48

为了更进一步了解这效果，如图 47 所示，把纸切开，使线段排成圆周，固定重心使其能够自由旋转，然后转一下圆周，就会发生如上述 1 条线消失的情形（如图 48）。

96. 马戏团的舞台

根据前述相同的原理，描绘于下页图Ⅰ与Ⅱ的是非常机智的游戏。

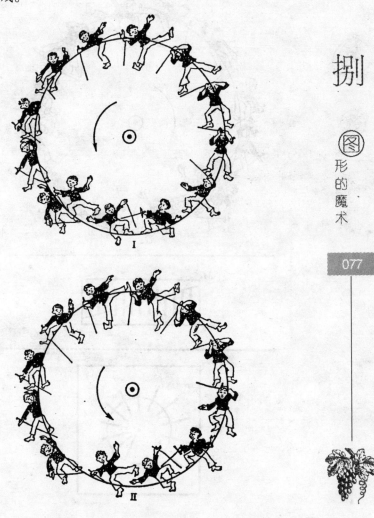

Ⅰ

Ⅱ

图
形
的
魔
术

在马戏团的舞台上，有 13 个小丑，每旋转一次舞台，13 个小丑就变成 12 个（如图Ⅱ），其中有个小丑不见了！在圆的内侧向同伴挑战的小丑究竟躲到哪儿去了？

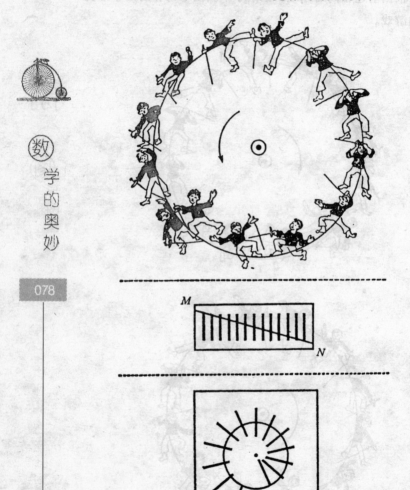

如果没有前面的图例，这个小丑的消失，一定会造成各位读者的困扰，但是，现在我们已经了解其中的奥秘，很快就明白，他和前面问题的第 13 条线一样"融解"了，融解于 2 个同伴之间。

把这一页剪下来贴在图画纸上，然后将背面的图沿虚线剪开，从最上面和最下面的图中切开里面（沿着小丑和木棒的圆周，很小心地使用美工刀切开），同时也将中央的图顺沿直线 MN 切开。

于是可做成 77 页至 79 页所叙述 3 个有趣游戏的道具。

97. 巧妙的修补

有艘航行中的木船，其船底有个长 13cm，宽 5cm 的长方形破洞，此洞的面积为 $13 \times 5 = 65$（cm^2）。

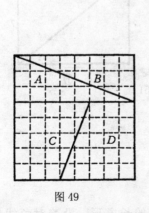

图 49

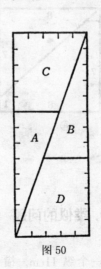

图 50

该船的船匠找了一块边长 8cm 的正方形木板（故其面积为 64cm²），如图 49 所示，分割为 A、B、C、D 四部分，再加以组合，拼成恰好符合破洞的长方形（如图 50），然后以这块木板塞住破洞，也就是指这名船匠成功地将 64cm² 的正方形木板改成 65cm² 的长方形木板。请问他如何做到的？

98. 另一种魔术

还有一种能使正方形变形的"魔术"，现在有 1 个边长 8cm，面积 64cm² 的正方形，如图 51ⓐ所示，分成 3 部分，然后将这些部分如图 51ⓑ组合起来，可做出面积为

$$7cm \times 9cm = 63cm^2$$

的长方形，为什么会这样呢？

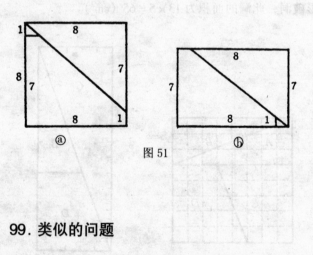

图 51

99. 类似的问题

画一个纵 11cm，横 13cm 的长方形，沿着对角线切开

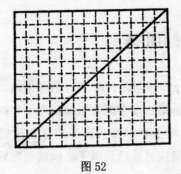

图 52

（如图 52），将做成的三角形顺沿共同的斜边移动至如图 53 所示的位置，这图形看起来好像边长 12cm，面积 144cm² 的正方形 VRXS，再加上 2 个面积各为 0.5cm² 的三角形 PQR 与 STU，可见图 53 的全体面积应为

$$144 + 2 \times 0.5 = 145cm^2$$

可是，原来长方形的面积却只有

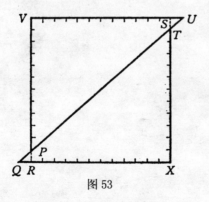

图 53

$$13 \times 11 = 143cm^2$$

而已，为什么会这样呢？

100. 地球与柑橘

　　假设用绳子绕地球赤道一周，另一方面，也同样在柑橘周围绕最大圈一周，现在把绕地球的绳子和绕柑橘的线各加长 1m，此时，绳子和线都会离开地球和柑橘的表面，产生一些空隙，请问这时地球和绳子之间的空隙较大，还是柑橘与线之间较大？

细长的纸带扭转 1 次。

嘿嘿
咻咻
！

咦
？

问：
莫毕士带是如图扭转的神奇带子。这种带子是为什么目的作成的？

①为证明宇宙是扭转的。
②只是好玩。
③作为无法明确方向的曲面例子之用。

将两端的表面与背面粘合。

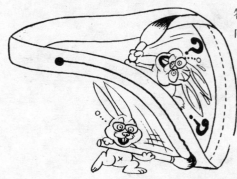

答：作为无法明确方向的曲面例子之用。

★ 用笔在莫毕士带上画一圈后，可发现两面都能画出线来。这将令人联想到二次元或三次元。

捌

图
形
的
魔
术

083

9

猜数字游戏

首先说明在此所谓的猜数字游戏。

当然，这并非猜谜，而是须要解答的问题，首先要对方设定 1 个数字，不要问对方设什么数字，而让对方进行与本身所设的数字无关的运算，然后请他大声说出其计算结果，这时猜数者就能根据结果猜出对方所设定的数。

问题的形态可按照自己喜欢的方式来规定，即可做出非常有意义的游戏，不仅能培养快速心算的能力，同时也能配合孩子的能力，设定较复杂或简单的数字，也就是阶段性的培养心算的能力。事实上，问题的理论根据相当简单，下列以简单的例子来说明，如果读者认为这里的"说明"太困难而无法了解的话，可省略此部分，直接跳到问题，如果能正确解答，那么，可依自己的能力来解开所有问题的答案。

同时，也希望各位留意到在此所叙述的多半是问题中不太有趣的架构部分，不过，读者们可将在此所列出问题的各种条件，凭自己的方法和想像加以应用，当然也可连结所知道的常识加以发挥运用。

101. 猜数字

将数字 1 至 12 排成圆形（如图 54），利用这圆形可轻易猜出对方所设定的数。

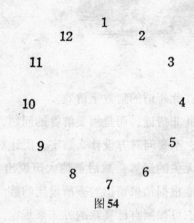

图 54

在进行这项游戏时，可利用钟、表之类的物品，让对方设定某个时间，另一方面，也可使用骨牌来猜，那么，到底要如何猜出数字呢？

首先，请对方设定 1 个圆内的数字，然后猜数者任意指出圆内的数字，请对方在此数上加上 12（也就是此圆的最大数），结果可获得某数，请对方大声说出答案，接下来让对方从所设定的数开始，默数至刚刚大声回答的数字，同时，从你（猜数者）刚才所指定的数，逆时针方向，用手指一个个数下去，那么，对方最后所指的数，就是刚才所设定的数。

举例说明，假设对方设定 5，而你（猜数者）指定 9，在心中默默地把 9 加上 12，然后要求对方：

"从你所设定的数开始默数至 21，在数的时候，用手指从 9 开始，逆时针方向，指着圆周上的数字，数到 21 时把你所指的数字告诉我。"

当对方按你的指示数到 21 时，他的手指刚好指在他所设定的 5。

还可将这问题应用得更神秘一些。

首先请对方设定 1 个数字（假设是 5），你指定 9，在心中默默加上 12，然后开口说：

"现在我用铅笔（手指）打拍子，从你所设定的数开始，我每打 1 拍你就把数字加 1，一直加到 21 的时候，你大声喊'21'好不好？"

接着，你也按 9、8、7……1、12、11 的顺序打拍子，对方则在内心默数 5、6、7……当他喊"21"的时候，你刚好数到 5。

"你设定的数字是 5，对不对？"

"是呀！你怎么知道？"对方心里一定很惊讶，这究竟是怎么一回事呢？

102. 还剩下多少？

你交代朋友两手各拿相同的东西（例如火柴棒），可是必须规定每一手所拿的东西数量得在固定的数 b 以上，此数不让你知道，接着，你交代朋友从右手转移你所指定的数量到左手（例如 a，这时 a 当然小于 b），然后，仍然在你不知道的情况下，让朋友从左手去掉他右手所剩余的数目，最后在不让你瞧见的情况下，再把右手的东西全部放下，这时，你就能判断朋友的左手剩下 2a 个东西，为什么？

103. 差距是多少呢?

要求朋友写 1 个 2 位整数，然后将此数的数字互换，并算出新数与原数的差距，只告诉你差距的个位数，你就能马上猜出实际上的差距是多少，为什么？

104. 商是多少?

要求朋友写 1 个 3 位整数，但是，数字的两端必须由你选定才行，接着将两端的数字互换，又形成 1 个新数，交代朋友将这两数中大者减小者，马上知道这差数必能以 9 除尽，并且能预先说出以 9 除尽时的商是多少，为什么？

105. 数字 1089

可将前面的问题改编成更有趣（尤其对孩子而言）的形态。

在纸上写着 1089 的字，装进信封内，并且加以封缄，然后把信封交给对方，在上面写对方所设的 3 位数，此数的两端数字不可相同，其差距必须在 2 以上，接下来把两端的数字互换，并求出原数字与新数字间大数减小数的差数，然后再将这差数的两端数字互换，把所得到的数加上原来的差数，求出答案后打开信封，就会发现信封内写的 1089，和你朋友所计算出来的答案完全相同，为什么？

106. 所设定的数字是什么？

请朋友设定 1 个数字，然后请他把此数乘以 2，再把答案加上 5，接着将和数乘以 5，所得的积数加上 10，再把和数乘以 10，然后交代对方说出答案，把答案扣掉 350，结果就是你朋友所设的数的 100 倍，为什么？

例如，朋友设定的数字是 3，其 2 倍为 6，加 5 为 11，11 的 5 倍是 55，加 10 为 65，65 的 10 倍是 650，再减去 350 成为 300，换句话说，是 3 的 100 倍。由此便可猜出朋友设定的数字是 3。请问原因何在？

107. 神奇的数字表

现在有 1 个把 1 至 31 的数按固定规则写成 5 行的数字表，这个数字表具有如下神秘的特质。

首先设定 1 个数字（当然不能大于 31），然后告诉我此数位于该表的哪几行，我就能立刻猜出所设定的数为多少。

例如，你设定 27，然后告诉我位于左边的第 1 行、第 2 行、第 4 行与第 5 行，我马上就猜出你设定的数字是 27（而且不必看表就能猜到）。

可将此表做成魔术扇，先做好一把扇子，利用其中的 5 排来写这个数字表，你就可以利用这把扇子来变魔术，要求朋友设定 1 个数字，然后请他告诉你该数字在扇子的第几排，那么，你就能猜出是哪一个数，为什么？

5	4	3	2	1
16	8	4	2	1
17	9	5	3	3
18	10	6	6	5
19	11	7	7	7
20	12	12	10	9
21	13	13	11	11
22	14	14	14	13
23	15	15	15	15
24	24	20	18	17
25	25	22	22	21
26	26	22	22	21
27	27	23	23	23
28	28	28	26	25
29	29	29	27	27
30	30	30	30	29
31	31	31	31	31
16	8	4	2	1

108. 偶数的猜法

首先请你设定 1 个偶数，然后把该数乘以 3，将其积除以 2，再乘以 3，接下来告诉我最后答案以 9 除的商数，我就能说出你所设定的数。

例如你设定 6，乘以 3 变成 18，18 除以 2 等于 9，9 乘 3 等于 27，以 9 除 27 商数为 3，这数字刚好是你设定的数字的一半。

这种魔术并不限于偶数才能使用，任意整数都可以一般形态来表演，只不过有些细节必须做如下的变更。

当你所设的数乘以 3 之后，无法被 2 整除时，先把积数加 1 再除以 2，然后以同样的方式计算，最后要乘以 2 来猜对方所设的数时，要记得加上 1 才行。

例如设定的数字为 5，乘以 3 变成 15，为了能被 2 整除，必须先加上 1 变成 16，然后除以 2 等于 8，8 乘 3 等于 24，24 无法被 9 除尽，但可求出余数，其商数为 2，乘以 2 之后必须加上 1，由此可知，原来设定的数字为 5。

要在朋友面前表演这种魔术时，当朋友将所设定的数乘以 3，然后发现无法以 2 整除时会自然问道："假如没办法除尽的话，该怎么办呢？"如果他这么问，你在最后乘以 2 之后，必须加上 1 才能说出答案，否则，你就先问朋友该数能否被 2 整除，但必须让对方以为你之所以这么问，是为了方便他计算的缘故。

玖

猜
数字游戏

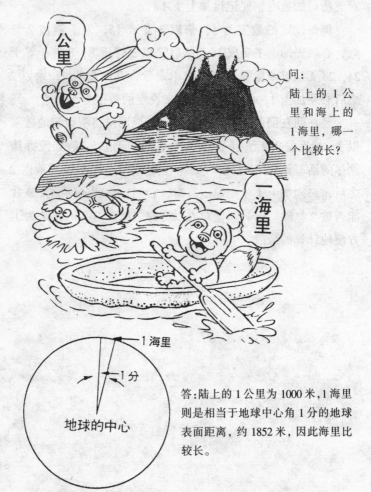

数学的奥妙

092

问:
陆上的 1 公里和海上的 1 海里，哪一个比较长？

答：陆上的 1 公里为 1000 米，1 海里则是相当于地球中心角 1 分的地球表面距离，约 1852 米，因此海里比较长。

109. 前题的变化形态

将所设定的数乘以 3，然后把积数除以 2，无法整除时，先把积数加上 1、然后除以 2，所得到的商数乘 3 之后再除以 2，假如和前面一样无法整除的话，就必须先加 1 再除以 2，接着将所得到的数以 9 来除，所求的商乘以 4 之后，如果第 1 次除以 2 的时候必须加 1，那么，解答者就必须把 1 记下来，如果第 2 次要除以 2 的时候必须加 1 才能除尽，解答者就得记下 2，因此，2 次要除以 2 的时候都必须加 1 才能整除的话，解答者在最后乘以 4 之后，答案必须加 3 才行，只有第一次的话加 1 即可，只有第二次则加上 2。

假定所设的数字为 7，其 3 倍是 21，为被 2 整除，先加 1 变成 22，然后除以 2 得到 11，11 乘 3 等于 33，加 1 变成 34，除以 2 等于 17，17 之中只有 1 个 9，所以 1 乘以 4 等于 4，由于两次除以 2 时都必须加 1，因此，乘以 4 之后必须加 3 才是正确答案，于是 4 + 3 = 7，可见，对方所设的数为 7。

110. 是一种变化形态

首先设定 1 个数字，然后将该数字加上其本身的一半，其和再加上本身的一半，接着问对方此和数除以 9 所得的商数为多少，如前述把其商乘以 4，然后和前面一样，回想第一次与第二次除以 2 的时候是否需要加 1，如果只有第一次需要加 1，解答者必须记下 1，如果只有第二次才需要加 1，解答者就得记下 2，两次都得加 1 时，解答者当然就得记下

3，最后将所得到的数加上记忆之数，就可知道设定的数是几。

例如，所设定的数为 10，加上本身的一半变成 15，由于 15 是奇数，所以必须加 1 才能被 2 整除，其一半为 8 加上 15 等于 23，23 除以 9 得到商数 2，2 乘 4 等于 8，可是由于第 2 次除以 2 的时候必须加 1，因此，8 必须加上 2 才能求出正确答案，于是 8＋2＝10，可见所设的数为 10。

当奇数要平分 2 等分时，会使一方比另一方多 1，假定前者称为大的一半，后者称为小的一半，这问题还可发展为更有趣的形态。

假定所设的整数为偶数，那么就直接加上本身的一半，假如是奇数的话，就得加上"大的一半"，和为偶数时直接加上本身的一半，和为奇数时所加的一半乃是"大的一半"，如此一来，所得到的数中究竟包含几个 9 呢？

把商乘以 4 之后，询问设定数字的对方，以 9 除的结果，余数是否为 8，如果是，要猜出所设定的数必须把商乘以 4，然后将所得的数加 3 才行。

如果余数不是 8，还要问是否大于 5，如果回答"是"，则最后须加上的数目为 2，如果余数并没有大于 5，要继续问对方是否大于 3，如果答复为肯定的话，最后要加的数目为 1。

各位应该很容易了解，问题最后的形态和前面的问题实际上是一样的，因为把某数乘以 3，其积再除以 2 的情形，和某数加上其本身的一半完全相同。

在这里能了解以各种形态所叙述的问题之证明，同时能透彻了解一切性质的人，可以自己创造类似的猜数问题。

例如，可将所设定的数字乘以 3 倍，然后把其积 2 等分，所得的商数乘以 5 之后，再除以 2，将所求出的答案除以 15，看看商数多少，然后把商数乘以 4，这时和前面一样，在除以 2 的时候，如果第一次、第二次或两次都除不尽而必须加 1，那么，乘以 4 所得的积就必须加上 1，2 或 3。

较细心的读者还可以凭自己的能力加以证明。

此外，也可将所设定的数乘以 5，把其积除以 2，然后将所得的商数乘以 5，再以 2 除其积，接着把现在所求出的答案除 25，看看商为多少，再把此商数乘以 4，此刻要注意在前面除以 2 的时候能否除尽？视情况将最后所得到的积数加 1，2 或 3，但如果两次都能被 2 除尽，就不需要加任何数字。

总之，各位读者可如在此所叙述的问题一般，以各种方式来创造问题。

111. 另一种方式

首先，按照与前面问题相同的原则，将所设定的数乘以 3，然后把其积除以 2（或者取"大的一半"），所求出的答案再乘以 3，接着把积数除以 2（或取"大的一半"），这回不要问所求的数以 9 除的结果，而是将该数所有的数字保留其中之一，其他则加以公布，但如果数字中有 0 的话，必须告诉解答者。

而且，被发表的数字与保留的数字都要说明是哪一位数。

接下来为了要猜出所设定的数字，解答者将刚刚所发表的数字通通加起来，然后把和数减掉 9，看看能减多少回？
最后所得剩余的数，反过来被 9 减，如此便能获得被保留的
数字，假如所剩余的数字为 0，那么，被保留数字就是 9，
当所设定的数乘以 3 又除以 2 的时候，如果两次都能被 2 除
尽，就按照前面的方式来做即可。

　　假如第一次除以 2 必须加 1 的话，将对方所透露的数字
和加上 6，然后再进行计算，如果只有第二次必须加 1 才能
被 2 整除，那么，就得在对方所透露的数字和加 4，如果 2
次必须要加 1 的话，在所得知的数字总和加 1 即可。

　　这样就能得到最后除以 2 所求出的数字中被保留的那个
数字，当然，也能知道除以 2 之后的商数为多少，将此数除
以 9 求出商，然后把商数乘以 4，必要时加 1、2 或 3，即可
得到所设定的数。

　　举例说明，假定所设定的数为 24，将 24 乘以 3 之后再
除以 2，反复两次，所得到的答案为 54，这时假设对方发表
十位数字 5，那么，9 减 5 得到 4，此即为个位数字，可见最
后除以 2 所得到的答案为 54，54 除以 9 的商数为 6，故所设
定的数字为 $4 \times 6 = 24$。

　　现在，假定所设的数字为 25，将 25 乘以 3 再除以 2 反
复 2 次，所得到的数字为 57，要注意的是，第一次除以 2 时
必须加 1 才能整除，因此假如对方透露的是十位数字 5，就
得把 5 加上 6，11 除以 9 余数为 2，故以 9 减 2 得到 7，所以
知道个位数字为 7，同时也得知第二次除以 2 之后，所得到
的答案为 57，将此数除以 9 求出商为 6，由此可知，此设定
的数字为 $4 \times 6 + 1 = 25$。

　　设定数字者在自己最后一次除以 2 之后，所得到的数假

定由 3 个数字所组成，其中末两位的数字为 13，在第二次除以 2 时，须要加 1 才能除尽，这时得在两数之和 $1 + 3 = 4$ 加上 4，于是出现 8，以 9 减 8 得到 1，可知最后一次除以 2 的结果为 113，将此数除以 9，得到商为 12，这样就可求出设定的数字为 $4 \times 12 + 2 = 50$。

假如设定数字者，将所设定的数乘以 3 之后再除以 2，反复两次，结果得到 1 个 3 位数，现在知道百位数的数字为 1，个位数的数字为 7，同时两次除以 2 的时候都必须加 1 才能整除，依照前面的规则，此刻必须 $1 + 7 + 1 = 9$ 才行，9 减 9 等于 0，可知道最后除以 2 时所得到的数字中，保留的那个数字为 9，所以这 3 位数为 197，将 197 除以 9，求出商为 21，根据前面的规则，得到所设定的数为 $4 \times 21 + 3 = 87$。

其道理何在？

112. 其他的方式

接下来介绍一种极为简单，但乍看之下似乎比较困难的方法。

首先设定 1 个数字，然后以另 1 个数来乘所设的数，其积再以另 1 个数来除，接着将其结果乘以某数，所得到的积数除以另 1 个数，如此反复运算几回，至于乘数与除数最好由对方决定，但必须请对方说出来。

另一方面，你（解答者）预先选定某数，然后与对方进行同样的乘除运算，结束时请对方将结果除以所设定的数，同时你也把自己的结果除以预先选定的数，结果所得到的商数应该与对方相同，接下来请对方将所得的商数加上设定的数字，然后把结果告诉你，你就可以根据这结果减掉你所求出的商数（与对方相同），其差就是对方所设定的数。

举例来说，假定所设的数字为 5，现在将此数乘以 4，然后把结果 20 除以 2，再把所得到的商 10 乘以 6，将最后的结果 60 除以 4 求出答案 15。另一方面，你自己也设定 1 个数字，然后与对方进行相同的运算，假设你选定 4（一般说来，选择 1 最方便），4 乘 4 等于 16，16 除以 2 等于 8，8 乘以 6 得到 48，48 除以 4 等于 12。这时将对方最后的结果 15 除以其所设的数 5，所得的商为 3。

另一方面，你将自己计算的最后结果 12 除以最初所设定的 4，所得到的答案也是 3。这时你装作不知道对方的结果，请他把所设定的数字加上 3，然后说出答案，这时，对方当然会回答"8"，将 8 扣掉 3，其差数 5 即为对方所设定的数。

数学的奥妙

42.195公里

人类跑的速度太慢了。

问：

马拉松赛程的距离是 42.195 公里，而非整数。请问，这数字是怎么来的？

①是希腊的马拉顿至雅典的距离。

②是第一届奥运会举行时的距离。

③是第八届巴黎奥运会决定的距离。

答：③是第八届巴黎奥运会决定的距离。

★ 马拉松的起源——公元前 5 世纪时，波斯与希腊发生战争，希腊军在马拉顿草原上获大胜，其中一名士兵从马拉顿跑回雅典报捷。根据这故事，第一届奥运会将马拉松列为正式的竞赛项目，当时距离定为 35.750 公里。

第四届伦敦奥运会定马拉松赛程为，从温莎宫殿至竞技场的女王御席前，距离是 42.195 公里。

从第八届巴黎奥运会起，便正式定马拉松的距离为 42.195 公里。

玖

猜

数字游戏

099

113. 猜几个数字

Ⅰ.让对方设定奇数个数字,如3个、5个或7个数字,然后请他把第1个与第2个的数字和,第2个与第3个的数字和,第3个与第4个的数字和,依序告诉你,直到说出最后1个与第1个的数字和为止。

接着把和数按顺序排列,然后先把奇数位置(第1个、第3个、第5个……)的和加起来,再将偶数位置(第2个、第4个、第6个……)的和相加,其后,前者减去后者,所得的差数就是对方所设的第1个数的2倍,将此数除以2,就可以得到第1个数,根据第1个与第2个的数字和,第2个与第3个的数字和等等,可求出其他设定的数。

这其中的道理何在?

Ⅱ.请对方设定偶数个数字,如前述,请他依序说出每两数(第1个与第2个,第2个与第3个等等)之和,但最后并非最后1个与第1个的数字和,而是最后1个与第2个的数字和,接着把和数按顺序排列,这回将第1个和除外,然后把奇数位置的和加起来,再把偶数位置加起来,把后者的结果减掉前者的结果,所得的差数为对方所设的第2个数的2倍。

为什么会这样?

114. 不需要对方提供任何线索就可猜出数字

首先,请对方设定1个数字,接着请他将此数乘以你所指定的数，把结果加上你说出的另一个数，再把答案除以某数，这时你本身也要默默心算，把使用于乘数的数除以使用于除数的数，然后请对方把所设定的数乘以所得到的商，再将其积从刚才的答案扣掉，其差数和你刚才要对方所加的数除以使用于除数的数，所得到的商相等。

其理由为何？

例如，对方所设定的数为6，乘以4之后变成24，加15等于39，39除以3得到13，另一方面，你默默地把4除以3得到 $\frac{4}{3}$，然后交代对方把设定的数乘以 $\frac{4}{3}$，将所得到的积数用刚才的结果来减，于是 $13 - 8 = 5$，所剩余的5，和你刚才要对方所加的数15除以使用于除数的3的结果相等。

在此，将问题以最普通的形态来表示，但有时必须使用在如下特殊的情形。首先要求对方将所设定的数乘以2，把积数加上任意偶数，然后把结果除以2，所得的商减去原先的设定的数，其差恰好等于刚才所加的偶数一半。但，显然还是一般形态的问题比较有趣，而且还可以练习分数，即使为了某种理由而不喜欢使用分数时，也只需选择不会成为分数的数字，既有趣又方便。

115. 谁选了偶数？

首先设1个偶数和1个奇数，让2人自由选择其中之一，接着要猜哪个人选偶数？哪个人选奇数？

例如，先让彼得和伊凡看2个数，假设是9和10，然后不让你知道的情况下，其中1人选择偶数，另1人则选奇数，为了要猜出谁选了哪一个数，你本身也设定 1 个偶数与 1 个奇数，假设是 2 和 3，接着让彼得把选择的数乘以 2，同时让伊凡把选择的数乘以 3，然后要求 2 人把他们所求出的积相加，并将和数告诉你，或者只说出其和为偶数或奇数，这时，为了使问题更复杂，可以各种不同的方式来要求对方。例如请他把得到的和数除以 2，然后告诉你能否除尽，假如 2 人的和为偶数，很明显的，3 所乘的数为偶数，由此可知伊凡所选的数为 10，彼得则选择 9。反过来说，如果 2 人的和为奇数，那么，3 所乘的数，也就是伊凡所选择的数显然为奇数。

为什么呢？

116. 有关 2 数互质的问题

例如，9 和 7 除了 1 以外没有其他公因数，而且其中 1 数并非质数（例如 9 不是质数），设定 2 个具有上述性质的 2 数，请 2 个朋友各选其中之一，当然不能让你知道，为了猜出答案，你要设定 2 个数字，此 2 数除了 1 以外没有共同的因数，并且其中之一必须是那个非质数的因数才行，假定选择 3 和 2，此 2 数除了 1 以外没有其他公因数，加上 3 是 9 的因数，其后将其中 1 人所选的数乘以 2，另 1 人则乘以 3，接着把 2 人所得的积数加起来，请他们说出结果，或者告诉你最后的答案能否被 3，也就是非质数的因数除尽，那么，你就能马上猜出 2 人各选择何数。因为 2 人之和若能被 3 整除，表示该数具有 3 的因数，也就是 7×3 的意思，相反地，如果该数不能被 3 除尽，意味着 9×3，使用于不同数字的时候，只要能充足上述的条件，就能得到相同的结果。

为什么？

117. 猜猜看有几个个位数？

首先，把第 1 个设定的数（9 以下）乘以 2，其积加上 5 之后，再乘以 5，把积数加上 10，接着再加上第 2 个设定的数（9 以下），然后乘以 10，所求出的结果加上第 3 个设定的数（9 以下），所得的和再乘以 10，接着再加上第 4 个设定的数（9 以下），然后把和乘以 10，如此反复下去，把前数的和乘以 10 之后再加上新设定的数（9 以下），一直加到最后 1 个设定的数为止。

然后请对方说出最后的和，假如所设定的数只有 2 个，其和扣掉 35，所得的差数的十位数就是对方所设的第 1 个数，个位数则为第 2 个数。如果所设定的数有 3 个，那么把其和扣掉 350，所得差数的百位数代表第 1 个设定的数，十位数代表第 2 个数，个位数代表第 3 个数。假如对方所设定的数有 4 个，把最后的结果减去 3500，那么差数的 4 位数就代表第 1 个设定的数，百位数代表第 2 个数，十位数代表第 3 个数，个位数代表第 4 个数，假如所设定的数有 5 个，就把和数减去 35000，然后按上述的方式来判断即可。

例如所设定的数依序为 3，5，8，2 等 4 数，第 1 个数乘以 2 得到 6，加 5 等于 11，11 乘以 5 得到 55，加 10 等于 65，再加第 2 个数变成 70，70 乘以 10 等于 700，加上第 3 个数变成 708，乘以 10 得到 7080，加上第 4 个数等于 7082，当对方告诉你此数之后，将 7082 减去 3500，差数为 3582，此数的每位数分别表示 3，5，8，2。

　　为什么呢？

　　在此将问题以一般形态来表示，但也可加以变化，应用于各种特殊的场合，例如在骰子游戏时，应用这项原理不必看就能猜出所掷出的数，而且在这情况下，最大数为 6，更容易猜测，其方法与规则如前述。

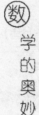

〔数学漫画〕⑮

在中国，一周称为一星期。

问：

一周 7 日是怎么来的？

①根据旧约圣经的天地创造之记载而来。
②依月之盈亏而来。
③不知道。

玖 猜 数字游戏

答：一周 7 日的来源无从考查。

105

★　月的盈亏之说——古代人是以月的盈亏代替月历，并定新月至上弦月为 7 日、上弦月至满月为 7 日、满月至下弦月为 7 日、下弦月至新月为 7 日。一周 7 日的说法即据此而来。

★　罗马时代是以所知的行星——水星、金星、火星、木星、土星、加上日月，共 7 日，定为一周。

★　也有人认为，是根据旧约圣经创世纪所记载，神造天地费了 6 日，第 7 日休息的说法而来。

★　亦有可能是综合以上三种说法，才决定一周为 7 日。

10

更有趣
的游戏

118. 使用 3 个 5 来表示 1

现在有 3 个 5，使用任何运算符号表示 1 看看。

对于没做过这类问题的读者来说，要得到正确的答案，恐怕需时甚久，除了

$$1 = \left(\frac{5}{5}\right)^5$$

之外，这问题还有没有其他的答案？

119. 使用 3 个 5 来表示 2

现在有 3 个 5，以这来表示 2 看看。

120. 使用 3 个 5 来表示 4

该如何使用 3 个 5 来表示 4 呢？

121. 使用 3 个 5 来表示 5

该如何使用 3 个 5 来表示 5 呢?

122. 使用 3 个 5 来表示 0

该如何使用 3 个 5 来表示 0 呢?

123. 使用 3 个 5 来表示 31

该如何使用 3 个 5 来表示 31 呢?

124. 巴士车票

某人搭乘巴士, 其车票的号码为 524127, 在不改变数字顺序的情况下, 在数字与数字之间使用适当的运算符号, 使计算的结果成为 100 看看。

事实上, 在长途旅行时将手中的车票号码, 以这方式做成 100, 是个十分有趣的消遣, 如果和同伴在一起的话, 可以互相比赛, 看看谁先做到 100。

125. 谁先说出 100?

假定 2 人轮流说出 10 以下的数字, 把这些数字逐一加起来, 最先使答案变成 100 的人获胜。

将数字设定为100，2人轮流说出10以下的数，例如第1个人说出"7"，对手跟着说出"10"，2人的和为"17"，接着第1个人又说出"8"，其和累计为"25"，如此进行下去，谁先说出"100"，谁就是获胜者。

可是，该如何才能先说出"100"呢？

126. 应用问题

前面的问题可以下列的方式加以应用。

2人都说出约好定数以下的数字，把这些数字逐一加起来，最先达到所设定的数的人获胜，但必须能最先达到此数的方法是什么呢？

127. 每2枝1组的分法

首先，将10枝火柴棒排成1列（如图55），移动这些火柴棒成为每2枝1组的排列方式。可是，移动火柴时必须跳过两枝火柴棒，和另1枝火柴棒重叠才行（例如第1枝火柴棒必须跳过第2、第3枝火柴与第4枝重叠。）

图55

128. 每3枝1组的分法

首先将15枝火柴棒并排成1列，移动每1枝火柴棒都须跳过其中3枝，和另1枝重叠。使15枝火柴棒变成每3枝1堆，总共分为5堆，其方法如何？

129. 玩具金字塔

准备木材或者厚纸板做成大小不同的圆板8张，以及3根垂直固定的木棒，同时每块圆板中央都有一个洞，现在将圆板按大小顺序套在1根木棒上，形成一个8阶的玩具金字塔（如图56上）。

问题就是将这金字塔从棒A转移到棒B，该如何做才能成功呢？此时，有3根木棒（图中的Ⅰ、Ⅱ、Ⅲ）作为辅助之用，但必须遵守如下的条件，①1次只能转移1张圆板，②被移出的圆板必须套在木棒上或比本身直径大的圆板上面，无论哪1根木棒都不能使直径较大的圆板套在直径较小圆板的上面。

传说，假如将8张圆板改成64张，就成为有关古印度传说的问题，据说，见那拉斯大神殿的圆屋顶就是地球的中心，黄铜的台座上坐着普拉马神，上方固定了长度约如蜜蜂的脚一般，大小和蜜蜂的腹部差不多的钻石棒3根，当世界诞生时，其中1根钻石棒套了64个中央有洞的纯金圆盘，形态犹如圆椎台一般，因为圆盘的直径由上至下愈来愈大，而这里的神官从早到晚轮流将圆盘从第1根钻石棒移到第3

根，第 2 根钻石棒则作为辅助之用，但必须遵守上述的条件，①1 次只能移动 1 个圆盘。②所移出的圆盘不是套在钻石棒上，就是套在直径比本身还大的圆盘上面。根据这两项条件，当神官把 64 个圆盘全部由第 1 棒移至第 3 棒的时候，就是世界末日的来临……

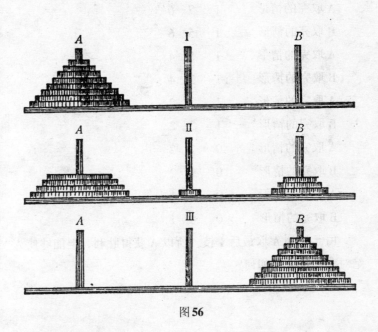

图56

130. 有趣的火柴棒游戏

邀请朋友和你一块玩下列的游戏，首先，在桌上放置 3 堆的火柴棒，这 3 堆火柴棒的数目依序为 12 枝、10 枝、7 枝。现在，从每堆里取出火柴棒，必须注意的是，每次只能取走其中 1 堆的火柴棒，但整堆全部取走也无所谓，最后，以取到最后 1 枝火柴棒的人获胜，现在举例来说明这个游戏，假设 A、B 2 人进行比赛，其过程如下：

最初的情形	12	10	7
A 取完的情形	12	10	6
B 取完的情形	12	7	6
A 取完的情形	1	7	6
B 取完的情形	1	5	6
A 取完的情形	1	5	4
B 取完的情形	1	3	4
A 取完的情形	1	3	2
B 取完的情形	1	2	2
A 取完的情形	0	2	2
B 取完的情形	0	1	2
A 取完的情形	0	1	1
B 取完的情形	0	0	1

由于轮到 A 取最后 1 枝，所以 A 获得胜利，但能够使 A 绝对获胜的方法如何？

〔数学漫画〕⑯

问：

1、2、3……等称为自然数。自然数像是无限地延续下去，请问要如何以数学方式求证明，自然数是无限的。

拾

有趣的游戏

113

什么叫做「无限」！？

答：数学世界的一切，都必须证明才能确定其真实性，但无限个数字却无法一一列出。

设定自然数中的某数为 n，既然有 n 的自然数存在，再加 1 的 n+1 必然也存在，所以，自然数是无限个存在。

骨牌的问题

骨牌就是如下页图中所介绍的长方形纸牌游戏，骨牌由中央分成两部分，每一部分都有 0~6 点，点数的分配方式有 0 与 0、0 与 1、……6 与 6 等总共 28 种，以这 28 张为 1 组就可进行下列的游戏。

骨牌的起源：

据说，骨牌这项游戏起源自古希腊，一直流传至今，确实，这项游戏十分简单，因此可想像是在古代文明初期的发展阶段所创造出来的。有关这游戏的名称众说纷纭，但语言学家认为是从古代的语言中所演变而成，以下的说法是最具可信度的一种。据说，骨牌游戏是从天主教修道院的宗教团体中发展而成的，大家都知道，在那种组织里凡事都以"赞美主"开始，比赛者在出示第 1 张牌的时候，要说 Benedictie. domino 也就是"荣耀的主啊！"，或者说 Domino、gracious 也就是"感谢主"之意，于是后来简称为 Domino（骨牌）。

131. 移动了几张?

将 10 张骨牌由左至右，按 1、2、3……、10 的顺序排成一列，这时骨牌必须覆盖起来，然后要"变魔术的人"告诉其他人，我现在到隔壁的房间去，你们趁这段时间把骨牌从右端移至左端，但顺序不能改变。一会儿他从隔壁的房间回来，不仅正确地猜出所移动的张数，还能掀开点数与移动张数相同的纸牌。

其实，所需要的牌"一定会掀对"，但是这项技术并非猜谜，而是由 1 到 10 的简单计算罢了。

现在开始说明问题，首先把骨牌全部掀开，如图 57 所示依序排列。

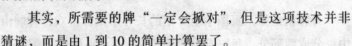

图 57

自称为"具有超能力的人"离开房间后，对方为了想证实他是否具有"超能力"，将右侧的骨牌在不改变顺序的情况下移至左侧，然后把全部的骨牌移回原位，假设移动 4 张，那么动的顺序如图 58 所示。

很明显的，左端 4 点的骨牌表示所移动的张数，因此房间里的超能力者将左端的牌掀开放在桌上，然后说："骨牌被移动了4张。"就行了，为了令人感到更有趣，可以再发挥一些技巧，事实上，掀开左端的牌来看是问题解决的关键，然而"超能力者"却向对方说，他在掀牌之前已经知道被移动的张数，但为了证明自己的超能力，才掀开那张表示4点的骨牌。

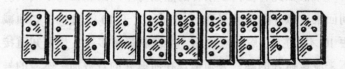

图 58

为了使"魔术"显得更神秘，将骨牌再度按顺序移动，而超能力者记住左端的牌点数为4之后才离开房间，然后在不改变顺序的情况下，任意将牌从右侧移至左侧，超能力者

图 59

回到房间以后，掀开由左边数来第5张牌（4+1=5），该牌的点数必然表示所移动的张数，例如，从右侧移动3张牌至左侧，那么，新的排列顺序如图59所示，由左边算起第5张牌的点数恰好是了。将这张牌覆盖起来，放回原来的位置，不必掀开左端的牌也能清楚知道那是7点，记牢此数之后，超能力者再交代对方，任意将纸牌从右侧移至左侧，当然不

能改变顺序，然后又离开房间，这时，他已经知道一回来只须掀开左起第 8 张牌，看看点数就能立刻知道所移动的张数。

一般说来，只须知道左端那张牌的点数，然后掀开由左算起该数加 1 的牌，上面的点数即表示被移动的张数。

不仅如此，任何 1 张牌的点数与号码的和，与下次从房间回来应掀开的骨牌号码相同（和大于 10 的时候，必须减去 10 才行）。了解这点之后，情况就简单多了，想要知道接下来应该掀开的牌，只须把现在所掀开的点数加上本身的号码即可，例如现在掀开的是上面有 3 点的第 5 张牌，那么，下次所要掀开的牌就是第 8 张（5 + 3 = 8）。

虽然问题极为简单，但已是够唬人的，而且解答问题一点也不难，每个人都可以做得到。

数
学
的
奥
妙

132. 百发百中

准备 25 张骨牌，覆盖之后并排成一列，接着你提议自己背对着牌或到隔壁的房间去，交代对方在这段期间移动几张骨牌（12 张以下），由右侧移至左侧，然后你回到房间就掀开 1 张表示移动张数的牌。

为什么？

133. 骨牌点数总和

请问一组骨牌的点数总和是多少？

134. 骨牌的余兴游戏

除了上下点数相同的牌之外，将其他骨牌全部覆盖在桌上，接着把其中1张牌悄悄藏起来，这张牌只要不是点数上下相同的牌，任何1张都可以，然后交代对方取下牌桌上的任何一张牌，看点数后将点数面向上排列牌桌上，接着掀开其他牌，以最先掀开的牌为排头依照骨牌的游戏规则依序排列，不可半途而废。如此，形成某种形式的排列，使你能预测排列最后出现的点数。你事先隐藏的牌点数刚好与你预测的点数相同。

实际上，将所有的骨牌按照游戏规则排列，最后一定以和第1张相同点数的牌作为结束，例如，骨牌的排列以5点为首，那么，最后必然以5点作为结束，除了10点之外，其他21张牌全部按照游戏的规则，排成圆形，假如现在从圆形排列中拿掉（3，5）的牌，剩余20张的排列，很明显的，一端为5点，另一端为3点。

这种余兴游戏必须表演得好像在脑海里很困难地计算一般，那么，观众会倍觉有趣，第二次表演时，尽量花心思变化，以各种形态来表现才能保持新鲜感。

135. 最大的得分

假如现在有4个人在玩骨牌，每个人都和自己的得分竞争，换句话说，得分是采取个别计算的方式，游戏开始，每个比赛者手中各拿7张牌，这时，骨牌会出现很有趣的分配情形，那就是第1个比赛者必胜无疑，而第2个、第3个比

赛者却连 1 张牌都打不出来，例如，第 1 个比赛者手中的牌
如下：

(0,0) (0,1) (0,2) (0,3) (1,4) (1,5) (1,6)

而第 4 个比赛者所拿到的牌为：

(1,1) (1,2) (1,3) (0,4) (0,5) (0,6)

等 6 张和另 1 张点数不明，其他的骨牌则分配于第 2 个与第
3 个比赛者，在这情形下，第 1 个比赛者在上述的 13 张牌出
现后获胜，另一方面，第 2 个与第 3 个比赛者手上的牌却 1
张也使不出来。

　　说得更具体一点，游戏一开始，第一个比赛者打出
(0,0)，第 2 个与第 3 个比赛者因手上无牌可接，只接 Pass，
轮到第 4 个比赛者打出 (0,4)、(0,5) 或 (0,6) 等 3 张中的
1 张，第 1 个比赛者则接着排出 (1,4) (1,5) 或 (1,6) 中
的 1 张，第 2 个和第 3 个比赛者由于手上的牌尚派不上用
场，只好再度 Pass，轮到第 4 个比赛者打出 (1,1) (1,2)
或 (1,3)，第 1 个比赛者也接着排出 (1,0) (2,0) 或
(3,0)，如这般将手上的牌通通打出，另一方面，第 2 个和
第 3 个比赛者手上的牌却原封不动地留着，至于第 4 个比赛
者手上的牌将会剩下 1 张，接下来我们来看第 1 个比赛者的
得分，显而易见的，排在桌上的点数合计为 48，而游戏全
体的点数为 168，那么，第 1 个比赛者在此回游戏中所获得
的点数为

168 − 48 = 120

这可说是最高的得分。

　　以类似的分配方式，也可获得不同的胜利，但想达到这
目的，上述的分配方式中 0 和 1 的角色，都以 2，3，4，5 或 6

来代替，如这般配合所得到的分数，都与从 7 当中扣掉 2 的配合分数相等，都等于 21。很显然的，想获得这样的牌分配机率很小，而且，在此所说明的其他胜利，得分都小于 120。

136. 使用 8 张骨牌做成正方形

将 8 张骨牌组合成正方形，使任何 1 条横切正方形的直线，至少与其他 1 张牌相交。如图 60 所示的正方形，由于直线 AB 不会和任何 1 张牌相交，所以不合问题的要求。

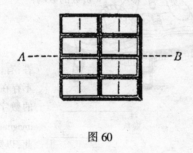

图 60

137. 以 18 张骨牌做成正方形

按照上述的条件，将 18 张骨牌组合成正方形看看。

138. 以 15 张骨牌做成长方形

按照问题 136 的条件，将 15 张骨牌组合成长方形。

122

家计簿上
的负数，
平方后
是不是能
变正数
呢？

问：
负数的平方是正数，有平方后为
负数的数吗？

答：有，称为虚数，是
不存在，一种想像上
的数字，英文写成
imaginary number，因
此，以第一个字母的
i 表示。

我是虚像。

★ 虚数就像龙或超人那样，
是想像的数字。

12

白棋与黑棋

139. 改变排列方式的问题

如图 61 所示，排列 4 个白棋与 4 个黑棋，然后按照如下的条件，将白棋移至 1，2，3，4 的格子里，同时也将黑棋移至 6、7、8、9 的格子里。①每个棋子都能跳 1 格，或旁移一格，此外就不能移动。②任何一棋都不能回到以前走过的格子。③1 个格子里不能放置 2 个以上的棋子。④先从白棋开始。

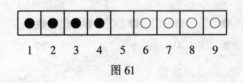

| 1 | 2 | 3 | 4 | 5 | 6 | 7 | 8 | 9 |

图 61

140. 四对棋子

将 4 个白棋与 4 个黑棋，按白、黑、白、黑、……的顺序排成一列，但如果要改变排列方式移动棋子时，在不改变顺序的条件下，每回移动 2 个棋子，向左或向右跳过其他的棋子，移动 4 回之后，使 4 个黑棋在左，4 个白棋在右，无间隔地排成一列。

141. 五对棋子

现在有 5 个白棋和 5 个黑棋，以白、黑、白、黑、……的顺序排成 1 列，和上述的问题一样，每回移动 2 个棋子，移动 5 回之后，先排好 5 个黑棋，紧接着再排 5 个白棋，其中不能有任何空格。

142. 六对棋子

现在有 6 个白棋与 6 个黑棋，以白、黑、白、黑、……的顺序排成 1 列，在不改变顺序的情况下，每回移动 2 个棋子，6 回之后，使 6 个黑棋通通排在左侧，6 个白棋排在右侧，无间隔地排成 1 列。

图 62

143. 七对棋子

现在有 7 个白棋与黑棋，以白、黑、白、黑、……的顺序排成 1 列，按照前述问题的方式，使 7 个黑棋在左，7 个白棋在右，无间隔地排成 1 列。

○ ● ○ ● ● ● ○ ● ○ ● ● ● ○ ●
1　2　3　4　5　6　7　8　9　10　11　12　13　14

图 63

144. 在 5 条线上排 10 个棋子

在纸上画出 5 条线，然后在线上放置 10 个棋子，使每条直线上的棋子各有 4 个。

145. 有趣的排列

将 12 个白棋与 12 个黑棋，以适当的顺序排成 1 列或圆形，然后从第 1 个棋子开始数，数至第 7 个的时候，将棋子取走，如此反复下去，直到白棋全部取走，而黑棋仍留在原来的位置为止，请问原来的排列应该如何？

数学的奥妙

问:

职业棒球所使用的球,是以软木包橡胶作芯,卷上毛线,再用白色马皮或牛皮包覆,缝合而成。缝合的针数有规定,是108针。此说是真?是假?

答:真的。

★　职业棒球的球重141.148.8克,周长22.9~23.5厘米。后来因有些球飞得太高,便于1981年,将以目测方式进行的反弹力测验,改用测定器来进行。

13

西洋棋的问题

关于问题129那样的数字游戏，还有另一项传说，起源也是印度，根据阿拉伯作家阿沙的记载：

婆罗门的西萨是一位祭司的儿子，他创出西洋棋的游戏，这种游戏里国王固然重要，但仍需士兵以及其他护卫的协助才能获得胜利。他发明这种游戏就是为了提供他的主君印度王希朗作为消遣，希朗国王非常喜爱祭司所发明的游戏，为了答谢西萨，国王很爽快地允诺：“你想要什么，我就给你什么。”

“那么，”西萨回答，“请在西洋棋盘的第1格放1粒麦子，第2格放2粒，第3格放4粒，第4格放8粒……以此类推直到第64格为止，每格都放加倍的麦子，这样我就心满意足了。”

然而，希朗国王却无法做到他的要求，因为所需要的麦粒加起来高达20位数，如果想要满足西萨“小小的愿望”，希朗国王必须在全地球的表面播8次种，收割8次才行，惟有如此，他才能给足西萨所要求的麦粒。由这传说使我们得到一个教训，“你要什么，就给你什么”这句话虽然说来简单，但是要做到就很困难了！

如这则故事所示，西洋棋盘总共有 $8 \times 8 = 64$ 个格子，交替涂上黑白两色，而棋子也分为黑白两种，持白棋的一方先攻。至于棋子的角色每方各有 6 种，其中，移动方式和下列问题有关的只有骑士和皇后，骑士是向前后或左右等 8 方斜跳，至于皇后则可朝纵、横、斜等 4 个方向，任意跳格。

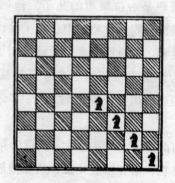

146．四位骑士

棋盘上有 4 位骑士（如图 64），将棋盘分成形态相同的 4 部分，使每个部分都有一位骑士。

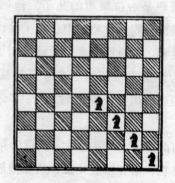

图 64

147．士兵和骑士

在西洋棋盘上的第 1 个空格里摆 1 个士兵，这时将摆在另 1 个空格的骑士移动到其他空格，每个空格各走 1 回，然后回到出发点的格子里。

148.两个士兵和骑士

在西洋棋盘的对线上相互对应的一端格子里各放置 1 个士兵，然后如前面的问题一般，试看看能否让骑士绕其他空格一周？

149.骑士之旅

能否让骑士在西洋棋盘中央 16 个空格里，各走一回，然后回到出发点？

图 65

150.独角仙

假定抓到 25 只独角仙，放置在大型西洋棋盘上 5×5 的部分（图 65），每格各放 1 只，接下来假定独角仙会往水平或垂直的方向进入邻近的格子里，此刻会不会有空格出现？

151. 放在整个西洋棋盘的独角仙

假设现在使用的是整个大型的西洋棋盘，那么，前面问题的答案会变成怎样？

152. 独角仙的封闭路线

放置在西洋棋盘上任意空格里的独角仙，向纵或横的方向移动到隔壁的空格里，在每个空格只能走一回的条件下，独角仙是否能绕西洋棋盘一周？

153. 士兵和骨牌

假定现在有西洋棋盘和32张骨牌，骨牌的大小恰好是棋盘的2个格子合成的面积，在棋盘上的任意1格里放置1个士兵，然后使用骨牌将棋盘上所剩余的部分加以覆盖，同时，任何2张骨牌都不能重叠，能否做得到呢？

154. 两个士兵和骨牌

在西洋棋盘上的对角线端的格子里各放置1个士兵，然后使用骨牌将棋盘上剩余的部分加以覆盖，按照前面问题的条件，请问能否成功？

155. 同样的两个士兵和骨牌

将 2 个士兵分别放置在底色不同的格子里，然后使用骨牌覆盖剩余的部分。

156. 西洋棋和骨牌

在西洋棋盘上至少要摆几个棋子，才能使骨牌一张都排不上去。

157. 八个皇后

将 8 个皇后平均分散在 64 格的棋盘上，使每 8 个格子里平均有 1 个皇后，而且，每一条纵线、横线以及斜线上不能同时出现 2 个皇后，试试看总共有几种排法。

著名的德国数学家高斯，也曾经研究过这项问题。

全部答案总共有 92 种，请各位试着将这 92 种排法通通找出来。

图 66 乃是答案之一。

现在以 8 个数字（68241753）来表示这项答案。

在此列举的数字表示皇后在棋盘的纵列所占的位置，例如第 1 个数字 6，表示皇后在第 1 纵列由下往上数的第 6 个格子里，而 8 则表示皇后在西洋棋盘上第 2 列由下往上数的第 8 个格子里，以此类推。从现在开始，以"列"来表示纵列，以"行"来表示横列，同时，行也是由下往上以 1~8

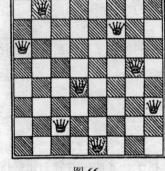

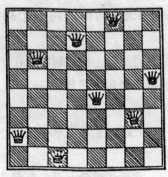

图 66　　　　　　　　　　　图 67

的数字表示，根据此法，图 66 的答案可如下表示。

（A）　行……6 8 2 4 1 7 5 3

　　　　列……1 2 3 4 5 6 7 8

接下来，将棋盘逆时针方向转 1/4 圈，由第 1 个答案可引导出图 67 相对应的答案。

从第 1 个答案中依数字求出对应答案的方法是，将（A）的数字配列中第 1 行的数字改变为由大至小排列。

（B）　行……8 7 6 5 4 3 2 1

　　　　列……2 6 1 7 4 8 3 5

那么，配列中第 2 行的数字就形成对应第 1 个答案的答案（B）（26174835）了。

接下来的 2 个图（图 68 和图 69）分别表示对应图 66 的第 3 与第 4 个答案，这 2 个答案是从第 2 个答案，将棋盘逆时针方向旋转 $\frac{1}{4}$ 圈，然后再转 $\frac{1}{4}$ 圈引导出来的。如前述，依靠数字的转换，可从 Ⅱ（图 67）中引导出 Ⅲ（图 68）的答案，同时，也能从 Ⅲ（图 68）中引导出 Ⅳ（图 69）的答案。

不过，Ⅲ的情形可直接由Ⅰ引导出来，而Ⅳ的情形也能由Ⅱ直接导出。

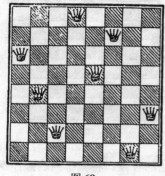

图 68

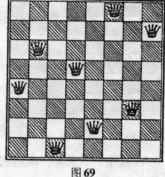

图 69

导出的方法如下：首先，图 66 和图 67 的答案以数字的排列可表现为：

（68241753）和（26174835）

现在将这些数字的排列顺序倒过来，变成：

（35714286）和（53847162）然后以 9 来减这些数字，得到：

（64285713）和（46152837）

此即为图 68 和图 69 的答案以数字来表示的答案。

如这般有关皇后问题的答案，大致说来，每 1 个答案都可获得 3 种对应的答案。

不过，图 70 的情形例外，由于此答案的性质特殊，因此所得到的对应答案只有 1 种（图 71）。因为把西洋棋盘旋转半圈，皇后的配置方式与原来一模一样，其特征是将表示这答案的数列（46827135），加上顺序完全相反的数列，会形成（99999999）。

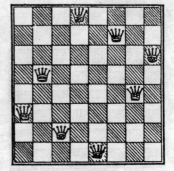

图70   图71

任选 1 个有关 8 个皇后问题的答案，将其排列的顺序倒过来，使第 1 列变成第 8 列，第 2 列变成第 7 列……或者，同样把依数字来表现的答案，整个顺序颠倒过来，就可得到和原来完全相反的对应答案。

在此省略寻找答案最简单的办法，只以下页的图 72 直接表示答案，答 I—VI 如上述包括其本身在内有 4 种对应答案以及 4 种相反的答案，合计 8 种，最后VII的答案只有 4 种对应答案，全部合计有 92 种答案，除此之外，这问题已没有其他的答案，所有的答案以数字表示如下。

全部答案的一览表，使用下面所介绍比较简单的规则，可自行找出。首先在最左列最下方的格子里放置 1 个皇后，然后在第 2 列下面的格子里放置 1 个皇后，接着按顺序在每列尽量下方的位置摆皇后，并且要避开前面所放置的皇后的转移路线，到不能再摆皇后的时候，将前列所放置皇后的 1 格、2 格或 3 格……往上移动，只在右侧没位置摆新皇后时，按照前面将皇后位置提高的原则，把剩余的皇后一一排

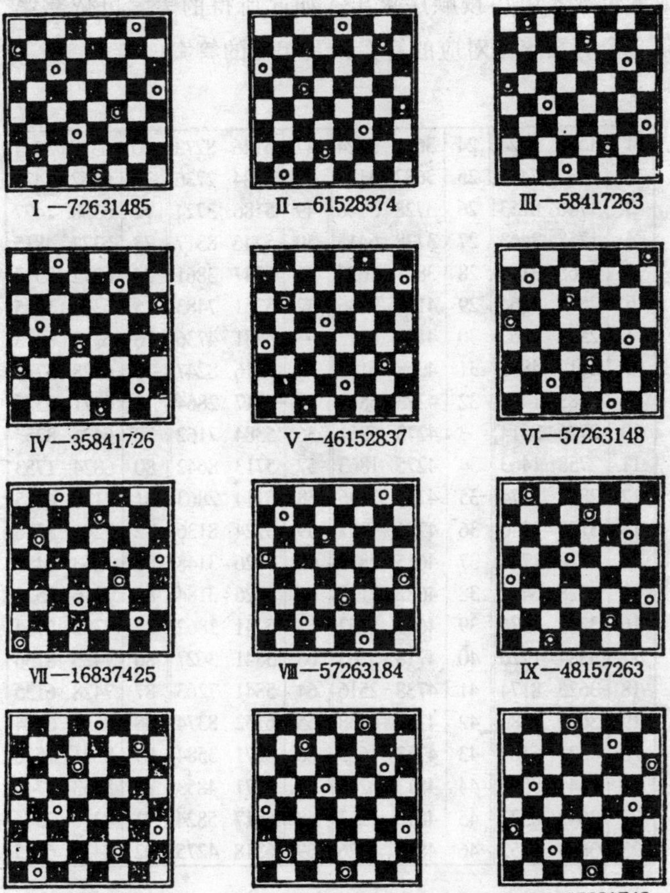

I —72631485

II —61528374

III —58417263

IV —35841726

V —46152837

VI —57263148

VII —16837425

VIII —57263184

IX —48157263

X —51468273

XI —42751863

XII —35281746

图 72

拾叁

（四）

洋棋的问题

上。

每求出 1 个答案就记录下来，答案就是把数字的配列看成 8 位数，由小按顺序求出，如此所得的表，可依靠第 1、第 2 个答案求出对应的答案以及相反的答案。

1	1586	3724	24	3681	5724	47	5146	8273	70	6318	5247
2	1683	7425	25	3682	4175	48	5184	2736	71	6357	1428
3	1746	8253	26	3728	5146	49	5186	3724	72	6358	1427
4	1758	2463	27	3728	6415	50	5246	8317	73	6372	4815
5	2468	3175	28	3847	1625	51	5247	3861	74	6372	8514
6	2571	3864	29	4158	2736	52	5261	7483	75	6374	1825
7	2574	1863	30	4158	6372	53	5281	4736	76	6415	8273
8	2617	4835	31	4258	6137	54	5316	8247	77	6428	5713
9	2683	1475	32	4273	6815	55	5317	2864	78	6471	3528
10	2736	8514	33	4273	6851	56	5384	7162	79	6471	8253
11	2758	1463	34	4275	1863	57	5713	8642	80	6824	1753
12	2861	3574	35	4285	7136	58	5714	2863	81	7138	6425
13	3175	8246	36	4286	1357	59	5724	8136	82	7241	8536
14	3528	1746	37	4615	2837	60	5726	3148	83	7263	1485
15	3528	6471	38	4682	7135	61	5726	3184	84	7316	8524
16	3571	4286	39	4683	1752	62	5741	3862	85	7382	5164
17	3584	1726	40	4718	5263	63	5841	3627	86	7425	8136
18	3625	8174	41	4738	2516	64	5841	7263	87	7428	6135
19	3627	1485	42	4752	6138	65	6152	8374	88	7531	6824
20	3627	5184	43	4753	1682	66	6271	3584	89	8241	7536
21	3641	8572	44	4813	6275	67	6271	4853	90	8253	1746
22	3642	8571	45	4815	7263	68	6317	5824	91	8316	2574
23	3681	4752	46	4853	1726	69	6318	4275	92	8413	6275

问：

正五角形的作图法，是由毕达哥拉斯派的人所发现，而且，他们进一步从五角形再作成星形，并被星形的魅力所吸引，因此，定为学派的徽章。试问，如何由五角形作成星形？

答：将正五角形各边延长即可作成。

★ 正五角形（星形五角形）有一股正气凛然之美，所以可作驱邪之用。譬如歌德所著的《浮士德》一书中有载，恶魔意图侵入浮士德博士的房间，却被星形五角形逐出。

158. 有关骑士的移动问题

本章的开始部分曾叙述有关骑士绕西洋棋盘部分空格一周的问题。

现在还要介绍一个有关骑士移动的传统问题。

也就是骑士在西洋棋盘的 64 个格子里各走 1 回,最后回到出发点的问题。

研究这问题的优勒曾写信给哥特巴哈(1757 年 4 月 26 日)叙述其答案之一,在此顺便介绍他在信里的有趣简答方法。

"……由于我记着你以前提示我的一个问题,结果,对于我最近所进行的一项复杂的研究工作帮助很大。这工作无法应用普通的分析法来解决,而问题就是西洋棋的骑士在棋盘的 64 个格子里各走 1 回,最后再回到原点的走法。由于如此,骑士所走过的格子全部都要划掉,而且骑士最初的位置必须要固定才行。我认为这最后的条件使问题变得更困难,因为不久我发现了某种走法,但是以那种方式,最初的位置是由我自行选择的,不过,骑士绕一周之后须回到原点,也就是骑士最后到达的位置必须要能移至最初的位置,有关这点,我敢断言绝对有办法可以克服。尝试几回之后,就能找到解决这困难的方法,而且我发觉这是非常轻而易举的,虽然走法并非无限多种,但是以同样的方式能迅速地找到答案。"下页图 73 就是答案之一。

骑士按照数字的顺序移动,可从最后 64 的位置移回 1 的位置,因此这种绕一周的方法属于回归性。

数学的奥妙

138

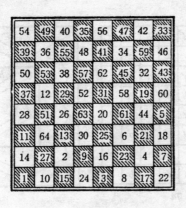

54	49	40	35	56	47	42	33
39	36	55	48	41	34	59	46
50	53	38	57	62	45	32	43
37	12	29	52	31	58	19	60
28	51	26	63	20	61	44	5
11	64	13	30	25	6	21	18
14	27	2	9	16	23	4	7
1	10	15	24	3	8	17	22

图 73

有关骑士移动的问题，这位伟大的数学家，并没在信中提到他解答的过程和方法，故在此介绍各位另一种比较对称的方法来找出问题的答案。

Ⅰ．将西洋棋盘画分为由 16 个格子所形成的中心部分以及剩余的周边部分（如图 74）。以相同文字所表示的周边部分，各有 12 个格子，于是骑士绕棋盘局部一周形成锯齿状路线，同样地，在中央各有 4 个相同的文字，表示骑士移动的路线，形成正方形或菱形的局部封闭路线。图 75 周边部分的 a、b 分别表示骑士的移动路线，至于图中央部分的移动路线则以 a′，b′表示。

绕过周边部分的路线之一以后，骑士可以移至中央部分的其他 3 种不同文字的路线，如这段由 16 个格子所形成的移动路线共有 4 种：

ab′，bc′，cd′，da′

很简单便能找出（只要准备西洋棋盘和骑士即可），同时发现的方法很多。

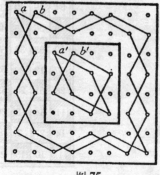

a	b	c	d	a	b	c	d
c	d	a	b	c	d	a	b
b	a	a'	b'	c'	d'	d	c
d	c	c'	d'	a'	b'	b	a
a	b	b'	a'	d'	c'	c	d
c	d	d'	c'	b'	a'	a	b
b	a	d	c	b	a	d	c
d	c	b	a	d	c	b	a

图 74　　　　　　　　　　　　图 75

事实上观察图 74 以及图 75，或者将西洋棋盘摆在面前观察，就能找出由 16 个格子所形成的移动路线，其中 12 个格子是周边部分的锯齿状路线，再连接中心部分文字不同的路线，但要注意的是，两边的路线都是封闭的，因此，我们必须用各种方法，将 4 个各由 16 个格子所形成的局部路线串连起来，做成 64 个格子组合而成，可让骑士绕棋盘一周的完整路线。

首先，如在周边部分的任何一格里放置骑士，描绘绕此地区 1 圈的路线，然后骑士移到中心部分，由其他不同文字所形成的 3 种路线之一，朝任何一个方向都行，想办法移到周边部分以后，接着再走另 1 条由 12 个格子所形成锯齿状路线，然后再移到中心部分，串连和前面文字不同的路线之一，再移回周边部分……如此反复下去，就能将 64 个格子全部串连起来。

由于问题的解答方式既单纯又简单，所以在此不再详细说明。

Ⅱ．这问题还有 1 个和前述同样简单的方法。首先将棋

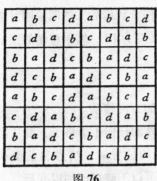

a	b	c	d	a	b	c	d
c	d	a	b	c	d	a	b
b	a	d	c	b	a	d	c
d	c	b	a	d	c	b	a
a	b	c	d	a	b	c	d
c	d	a	b	c	d	a	b
b	a	d	c	b	a	d	c
d	c	b	a	d	c	b	a

图 76

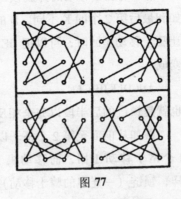

图 77

盘以 2 条中央线画分为 4 部分，每部分各有 16 个格子（如图 76），将相同文字连接起来，然后依靠共通的顶点，将 2 个正方形和 2 个菱形的边连结起来，各连接 4 个（如图 77），接下来将各部分同字的正方形和菱形连接起来，就能做出由 16 个格子所组成的绕局部一周的路线，总共有 4 条如这般的路线，然后再设法将这 4 条串连起来，就能让骑士完美地绕一圈棋盘。

不过，若是能够再注意下面的问题，将会更理想。在棋盘分成的 4 等份里，由菱形和正方形来表示 4 个骑士所能走的路线，将 4 个部分的相同文字所表示的菱形和正方形互相连结，就能获得 4 组由 16 个格子所形成的路线。

要把这 4 条由 16 个格子所形成的路线，完美地串连在一起，或多或少有些困难，这时候该如何在不破坏锁链（骑士一连串的移动）的条件下加以变形呢？在此就必须根据 Bertrand 规则才能成功，其要点如下：

假定现在有通过 A、B、C、D、E、F、G、H、I、J、K、

L等格子的骑士移动的开放锁链，锁链的两端为 A 和 L，假如和最后第 2 个的 K 不同，D 的格子和最后 L 的间隔刚好能让骑士移动 1 回时，可以把 DE 转变为 DL，结果移动的锁链变成

ABCDLKJIHGFE

也就是锁链的后半段以完全相反的方向移动。

　　假如从前面至第 2 个格子以外的任何 1 个格子，都从第 1 个格子移动 1 回，而移动棋子的位置时，情形和前面一样，锁链（一连串的骑士移动）可以不破坏而加以变形。

　　在此所介绍的方法，所找到的骑士绕一圈棋盘的走法并非无限多种，但由于方法太多，无法一一介绍给各位。

点　边　面
$$\widehat{V} - \widehat{E} + \widehat{F} = 1$$

	点 边 面 V − E + F	V − E + F
三角形	3 − 3 + 1	1
四角形	4 − 5 + 2	1
五角形	5 − 7 + 3	1
六角形	6 − 9 + 4	1
圆	□ − □ + □	1

圆是两个半圆结合的图形

问:

三角形、四角形、五角形、六角形的各边、面、点的关系, 会有如图所示的公式成立。圆也有同样的公式。那么圆的边、面、点各有几个?

答: 圆的点有 2 个, 边有 3 个, 面有 2 个。

拾叁

西 洋棋的问题

14

数的正方形

接下来的 4 个问题，我们要学习如何组合魔方阵的方法，所谓魔方阵，就是将数字排成正方形，使每行每列以及 2 个对角线加起来的和都相等的数字表。

159. 写 1 至 3 的数字

在正方形的 9 个格子里（图 78），各写上 1，2，3 等任何数字，使纵列、横列以及对角线的数字和都等于 6，要如何填写才能符合问题的要求？并且将所有的组合列出来。

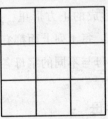

图 78

160. 写 1 至 9 的数字

在正方形的 9 个格子里，分别填上 1，2，3，4，5，6，7，8，9 使纵列、横列与对角线的数字和都相等。

161. 写 1 至 25 的数字

在正方形的 25 个格子里，填上 1 至 25 的数字，使纵列、横列以及对角线的和都相等。

162. 写 1 至 16 的数字

在正方形的 16 个格子里，写上 1 至 16 的整数，并使纵列、横列以及对角线的数字和相等。

163. 四个字母

在 16 个格子所形成的正方形里，配置 4 个字母，使横列、纵列以及对角线，每 1 列上面都有 1 个字母。

那么，相同的字母与不同的字母各有几种排列方式?

164. 十六个字母

在 16 个格子所形成的正方形里，配置 16 个字母（a、b、c、d 各 4 个），使横列、纵列，每列都出现 1 个字母各一次，这样的排列方式有几种？

格子数为 25、36 的 n^2 方阵，可做成与这同样的问题，在各行各列里排上几个不同的字母或数字，这种字母或数字在每列都不同的正方形表，称为拉丁方阵，首先研究这种方阵的是优勒，那是 1782 年的事，"拉丁"这句话，是由于填在格子里的字多半以 abc……为主而来的，由 n^2 的格子所形成的各不相同的拉丁方阵，n 愈大，格子数也愈急速增加。1 至 K 的整数之积就以 K! 来表示，换言之，

K! = 1·2·3·······K

至于 n×n 大小的拉丁方阵数则为

n! · (n···1)! ·······2! ·1!

可是这个式子的正确答案，必须在 n 为小的时候才算得出来。

147

165. 十六个士官

从 4 个部队当中各选出军阶不同的军官（上校、少校、上尉、中尉）4 人，将合计 16 人的军官配置在矩阵里，使每行每列都有各种军阶的军官以及各部队的代表者，要如何排列才能达到问题的要求呢？

166. 西洋棋比赛

两队各派 4 人参加西洋棋比赛，参加者必须和对方每 1 个代表各进行 1 回胜负，在此条件下进行西洋棋比赛，要如何排列呢？

①每个选手各拿 2 次白棋和 2 次黑棋，比赛 2 次。

②每次比赛两队都以 2 次白棋和 2 次黑棋，进行 2 次比赛。

有关 165 和 166 的问题，前者是将军官和部队的个数假设为 n，后者则是将每队的选手数以 n 来表示，可以做出与这类似的各种应用问题，如此将更容易了解，当 n = 2 时，类似前者的问题无法解答。因为 2 个部队当中的 2 个军阶不同的军官共 4 人，无法按问题的要求配置，换句话说，1782 年优勒就预言，当 n = 2，6，10，14……时，也就是以 4 除余数为 2 的情况下，这问题是无解的。虽然 n = 6 的情形，在 1900 年证明他的主张是正确的，但是到了 1909 年，除了 n = 2，n = 6 以外，其他的情形都能得到答案，换言之，当 n > 6 时，优勒的主张就不适用了。

问：
像骰子那样的正四角立方体称为正六面体。那么，正四面体是什么形态呢？

骰子有 6 个面、12 个边、8 个顶点。

拾肆

数 的正方形

嗯，这不适合当骰子。

▶ 四面体

答：正四面体为如图所示的立方体。

15

找路的方法

167. 蜘蛛和苍蝇

某房间天花板的一角 C（图 79）有一只蜘蛛，同时，地板的一角 K 有一只苍蝇，请问蜘蛛爬到苍蝇那儿的最短途径怎么走？

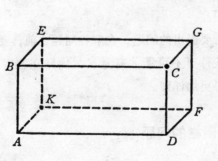

图 79

桥梁与岛屿

你有没有去过有支流或分流通到河中岛的城市或乡镇？

在支流或分流里可能设有连接部分街道的各种桥梁，例如圣彼得堡，在尼泊河所分叉的许多分流与运河上设有许多桥梁与通道，不知你是否想过（假定你是居住在有河、有岛、有桥的地方）以散步的方式将所有的桥梁各走过一遍？其实，首先想到这个既有趣又重要的问题的人是著名的数学家优勒，这个被命名为"拓扑学"的问题，成为几何学独特部门的指南。

在位置的几何学里，有关几何学的图形与物体的测量等一切因素都不重要，只考虑顺序与配置的问题。一般而言，和西洋棋、围棋、骨牌等游戏有关的问题，以及大多数有关扑克牌游戏的问题，还有为了要织出美丽的图案而选择各种颜色的丝线等实际性的问题等等，都属于位置几何学的范围，由此可见，这种几何学实际上已由来许久，不过，直到1710年，才由莱布尼兹将这些问题发展成学问，同时前面曾提过优勒也研究这类问题，在此我们举出其中比较简单的问题来说明。

下面所要提出的问题，在解答问题之前，要先调查问题所提出的条件可不可能才有意义，优勒在答案为否定的情形，调查得更加详细。

168. 围栏的问题

1759 年优勒所提出的问题如下：

围绕在岛周围的河川可分为两部分，总共有 a，b，c，d，e，f，g 等 7 座桥梁（如图 80），以散步的方式能将这些桥全部走过一遍，而且每座桥不能走 2 次以上吗？

数学的奥妙

"当然可以！"有人如此说道。

"不，这是不可能的！"也有人如此回答。

究竟哪一种回答才是正确的呢？如何证明？

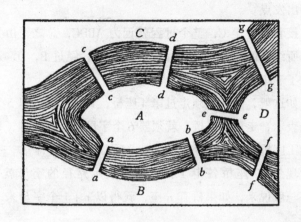

图 80

或许各位认为解答问题最简单的方法，就是尝试各种可行之道，找出能适合问题条件的走法，但是在现在桥梁只有7座的情况下，这种尝试已经颇费时间，假如桥数增加，这种解答方式实际上没什么意义可言。而且，即使桥数不变，问题的内容也会因桥的位置不同而有所变化，所以我们选择另一种比较理想的解法。

首先，如问题所述，桥数为7座的时候，我们来调查并找出能够符合问题条件的走法，为有助于推论，利用如下的记号。

假设 A，B，C，D 为河流所隔开的陆地部分（如图80）。

接下来由 A 走到 B，不论是走 a 或 b 哪一座桥，都以 AB 来表示，由 B 走到 D 时，则以 BD 来表示其路径，这时由 A 至 D 的路径就表示为 ABD，换句话说，乃同时代表终点和出发点。

接着由 D 至 C，整个过程就记为 ABDC，总之，由 4 个字母所组成的记号，就表示由 A 处出发，经过 B，D，途中走过了 3 座桥，最后到达 C 的意思。

如这般，假设必须走过第 4 座桥，其路径就得以 5 个字母来表示，走过 5 座桥，就须要 6 个字母，以此类推，每多经过 1 座桥，表示路径的字母就必须跟着增加 1 个。

现在，7 座桥各走 1 回，那么表示路径的字母就有 8 个，一般说来，如果桥有 n 座，就得以 n + 1 个字母来表示路径。

接着，我们该如何排列这些字母呢？

由于 A 和 B 之间有 2 座桥，因此 AB 或 BA 的字母关系，必须要出现 2 次才行，如这般，A 与 C 字母的连贯也要出现 2 次（因为这些地点之间都有 2 座桥）。此外，A 与 D，B 与 D，D 与 C 的字母连贯，各会出现 1 回。

那么，如果问题有答案的话，想按照问题的条件过桥，必须遵守以下 2 个条件。

①所有的路径以 8 个字母来表示。

②在排列这些字母的时候，必须遵守上述连贯字母的方法以及次数的条件。

接下来要检讨下列重要的事实。

例如，其他地区和桥 a，b，c……所连接的地区 A，（在这问题里是和 5 座桥连结），渡过桥 a（从 A 侧或 B 侧皆可），表示路径的字母 A 会出现 1 次，接着通过 A 的 3 座桥 a，b，c，这时很容易就能了解，路径的表记中，字母 A 会出现 2 次，通过 A 的 5 座桥时，路径的表记中，字母 A 将出现 3 次，一般说来，当通过 A 的桥为奇数座时，想了解路径的表记中，A 究竟会出现几次的方法，只要把奇数的桥数加 1，然后除以 2 即可。这方式不仅适用于所通过的桥为奇数的时候，其他地区也能适用，为了简洁表示这些地区，我们将其通称为奇数地区。

从这点开始研究优勒的问题。

现在地区 A 有 5 座桥可通过，而 B，C，D 等地区各有 3 座桥连接，换句话说，这些地区都属于奇数地区，根据上述的原则，通过 7 座桥的全部路径表记如下：

字母 A 出现 $\dfrac{5+1}{2}=3$ 回

字母 B 出现 $\dfrac{3+1}{2}=2$ 回

字母 C 出现 $\dfrac{3+1}{2}=2$ 回

字母 D 出现 $\dfrac{3+1}{2}=2$ 回

因此，所要求的路径表记，总共需要 9 个字母才行。但是前面曾经提过，如果这问题有答案的话，路径的表记字母应为 8 个才对，于是我们知道，以这方式来配置桥梁，与问题的条件不合。

那么，意思是在 1 个岛将河川分为两部分，同时其间有 7 座桥的情形下，要将所有的桥走过 1 回的问题无法解答啰？其实不然，我们所证明的只不过是桥的配置如问题所设定的那般时，此题无解，当然，如果桥的配置改变，那么问题的答案也将随之改变。

接下来，我们留意通达各区域的桥梁数目为奇数时，应用刚才所叙述同样的论法，来确认问题究竟有没有答案的事实。

不过，为要解答一般的问题，必须研究从某地区所经过的桥数为偶数时的情形。

例如，地区 A 有偶数座桥梁，为了表记一切桥各走 1 回的路径，必须划分路径由 A 出发或由其他地区出发等两种情形。

事实上，由 A 至 B 有 2 座桥的时候（如图 81），由 A 出发，将 2 座桥各走 1 回的行人，必须把路径表记为 ABA，换句话说，表记的字母 A 会出现 2 次，相反地，如果行人由 B 出发，2 座桥各走 1 回的话，其路径就得记为 BAB，那么字母 A 就只有出现 1 次。

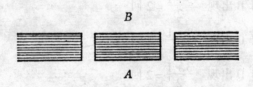

图 81

假设 A 有 4 座桥，不论是否从特定的地点出发，结果都是一样，现在有个行人从 A 出发，将每座桥各走 1 回，那么，显而易见的，路径的表记中，A 的字母会出现 3 次，但是他如果从其他地区出发，那么 A 的字母将会出现 2 次，同理，当桥数为 6 时，要看行人是由 A 出发或是由其他地区出发，就可判定字母 A 会出现 4 次或 3 次。由此我们引导出如下的规则。

当某地区的桥数为偶数（偶数区域）时，表记路径的字母在由其他地区出发的情形下，所出现的次数为桥数的一半，反过来说，如果从偶数地区出发，字母出现的次数则为桥数的一半再加上 1。不论如何，偶数地区的过桥路径表记的字母出现次数，绝不会少于桥数一半。

由上述可引导出有关桥梁问题的一般解法，不论如何，首先要确认的是，该题是否能找出解答，接着我们将解法按如下的方式展开。

①求出桥梁的个数作为解答之钥。

②为河川所隔开的不同区域，分别以字母 A、B、C、D……来表示，依序写在纵栏上。

③在各地区的记号的第 2 列纵栏里，写上能通达那地区的所有桥梁个数。

例如现在问题中的桥梁有 7 座，就记载如下：

桥数 7　　A　5
　　　　　B　3
　　　　　C　3
　　　　　D　3

这时要注意第 2 栏的数字和，经常和桥数的 2 倍相等，因为任何一座桥都有两端靠岸，把这些都加进去的话，这结果是理所当然的，问题中有奇数地区时，其奇数地区的个数必然是偶数，否则第 2 栏的和就不可能为偶数了。

④在第 3 栏里记下左栏偶数除以 2 的结果，当左栏的数为奇数时，就必须加 1 再除以 2（第 3 栏中的各数大小，乃

表示所对应的字母在路径的表记中所出现的次数)。

⑤求出第 3 栏的数字和。

以这问题来说，解答的模式如下：

桥数7　　A　5　3
　　　　　　B　3　2
　　　　　　C　3　2
　　　　　　D　3　2
　　　　　　 ─────
　　　　　　计　　9

如前述，假如第 3 栏的数字和比第 2 栏的数字和一半（也就是桥数）还大的话，表示奇数地区的个数超过半数，从另一个角度来看，第 3 个数字和表示一切字母反复出现的总次数，换句话说，表记路径的字母个数（也就是桥数再加上 1），至少为此数。因此，假如这问题有解答的话，其奇数地区个数的一半不会比 1 还大。

于是以一般情形来说，如果此问题有解，我们可确认如下的事实。

①所有的地区皆为偶数地区。

②倘若有奇数地区，最多只有 2 个。

在这情形下，将每座桥各走 1 回的问题必然有答案，但如果是②的情形，就必须以奇数地区出发才行。

数学的奥妙

〔数学漫画〕22

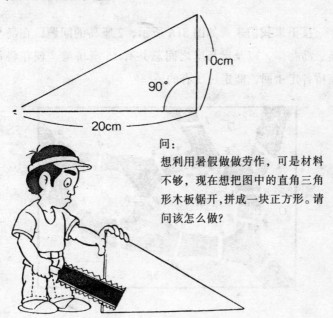

10cm

90°

20cm

问:
想利用暑假做做劳作,可是材料
不够,现在想把图中的直角三角
形木板锯开,拼成一块正方形。请
问该怎么做?

答:如图从底边 10 厘米
处垂直锯开即可。

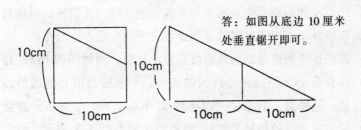

10cm

10cm

10cm

10cm

10cm

169. 桥梁有 15 座的情形

接下来我们来看如图 81A 所示，2 座岛的问题，在岛与岛、岛与岸，以及岸与岸之间总共有 15 座桥梁，现在将每座桥各走 1 回，能走过所有的桥吗？

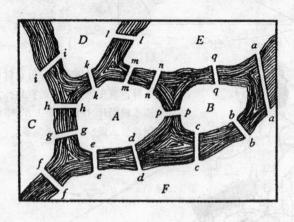

图 81A

在此所表示的地区全部为偶数地区时，我们来证明将每座桥各走 1 回的封闭路径（最后又回到出发点）的存在。将路径途中所通过的桥数看成路径的长度，例如问题 169 的路径长为 15，一面遵守问题的条件，一面通过所有地区的路径，选择最长的路径（以字母 a、b、c、……g 来表示路径途中所通过的桥梁名称）。路径的出发点以 A 来表示，假定路径最后的终点并不是 A，而是地区 C，这时假如路径的表记中 C 出现 r 次，那么，意味着在路径的过程中通过的桥数

为 2r，C 为偶数地区，假定最后通过桥 g 抵达目的地，随着
已经的 2r 个桥之外，还必须通过和 g 本身不同的另 1 个由 C
出发的桥 h，这意味着和现在要选择最长路径的原则互相矛
盾，如果路径在 A 结束，就不会产生这样的矛盾，由此可
知，路径 abc……g 的终点必然在 A 地区，形成 1 个封闭的
路径，接下来要证明这条最长的路径能通过全部的桥。假定
没有通过桥 f，很明显的，通过有桥 f 的地区之一的路径为
abc……g，说得更清楚一点，假设 f 是由设置桥 a、b 的地区
B 通达，那么路径 fbc……ga 就比 abc……g 还长 1 个单位，
可是，我们将通过全区域的最长路径设为 abc……g，由此矛
盾可证明路径 abc……g 能通过所有的桥。

以问题 168 来说，如果全部的桥都走 2 回，那问题就有
解了，这意味着当桥数增为 2 倍时，所有的地区都成为偶数
地区。

最后，假设奇数地区为 A 与 B 两处，我们来证明问题
所要求的路径确实存在，假定 A 与 B 之间的新桥 a 设置之
后，全部的地区都成为偶数地区，如前述，必然有能通过所
有的桥 1 回的路径存在，由于其为封闭路径，所以可选择任
何 1 座桥作为选定的桥，将两端为 A 与 B 的路径 abc……g
视为所求的答案，是很容易证明的。

调查问题的内容是否在解答之后，接着将桥实际地走走
看，不过这问题比较简单，在此所叙述的证明还包括寻找路
径的方法，所以更是轻而易举。

170. 走私者之旅

绕桥的问题，可以改变为各种形态来应用，假设现在有个走私者在各国边境上各绕一圈，然后将欧洲各国各走 1 回，请问他的路程应该如何走？

很明显的，在这情形下各国的国境和绕桥问题中土地部分（地区）以及搭长桥的河流相对应（桥相对于国境）。

171. 一笔画的问题

有个故事是这样的，某人说谁能画出下列的图形，他就给那人 100 万卢布，不过有个条件，就是要以 1 条连续的线

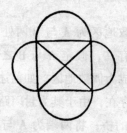

图 82

完成此图,在这期间，钢笔或铅笔不能离开纸面，同时每一部分均不能重复两次。

既然解开如此简单的问题，就能成为"百万富翁"，应该多费一些纸，尝试一笔画出所要求的图形，多花些时间还是很划得来的。但事实上，这问题是没有答案的，虽然就差

那么一点，但无论如何，还是无法以"连续的线"画出所要求的图形，最后才发现困难的所在，就是比这图形还简单的图形——四角形与 2 条对角线——根本无法以一笔画成，虽然这图形看起来更简单，但是它永远不可能一笔画成。

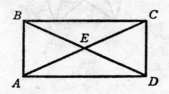

图 83

然而，无论如何这问题是否当真无解，犹令人怀疑，因为许多乍看之下比这还复杂的图形，能轻易地一笔画出，例如凸五角形与其对角线所形成的图形，可使用铅笔以一条连续的线完成（如图 84）的图形。

同样的，边数为奇数的一切多角形都很轻易地能一笔画出，相反的，边数为偶数的多角形就无法办到这点。

了解这原理，要分辨怎样的图形能一笔画出，怎样的图形不能一笔画就不困难了。如这类的问题，都可参考前面优勒所提出的绕桥问题。

我们现在来实际研究四角形 ABCD 以及 2 条对角线的图形（图 83），试看看在每一部分不重复 2 次的原则下，能不能一笔将它画出来。

将点 A、B、C、D 与 E 看成被河流所分隔的地区，将连接这些点的线看成那些桥梁，在这情形下，地区的总数为 5，其中有 4 个是奇数地区，1 个偶数地区。由我们刚才的

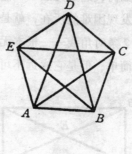

图 84

研究得知，在这情形里，不可能在每座不走 2 次的原则下，把所有的桥通通走过一遍，换句话说，这图形不可能在每一部分都不重复的情形下，以一条连续的线将所有的点通通连结起来。

由此可见，图形是否能一笔画的问题和绕桥的问题完全相同，可从一方引导至另一方。

边数为奇数的多角形与其一切的对角线，同一条线不重复而能一笔画完，必须和绕桥问题中，一切的地区皆为偶数地区相对应才行。

在此不论是直线图形或曲线图形，不论是平面图形或立体图形，一切图形的道理都是相同的。例如正 8 面体的边可以轻易地一笔画完，但是其他凸多面体就没那么容易了。

据说默罕穆德以如下的方式（他并不识字），如图 85 所示 2 个眉月形的组合一笔画完，作为他的签名。在这情形里，从任何一点都能延伸偶数条线，当然可一笔画成。除了延伸偶数条线的点之外，延伸奇数条线的点为 2 个的图形，也能一笔画完，图 86 即表示包含 2 个奇数点 A 与 Z 的图形，

图 85

这个美妙非凡的几何学图案，要以一笔画成的话，必须和前面所叙述的绕桥问题一样，由 A 或 Z 其中一方出发才行。

另一方面，图 87 与图 88 的图形虽然看起来很简单，却无法一笔画成，因为前者有 8 处，后者有 12 处所延伸的线为奇数时，所以前者至少要 4 笔才能画成，换句话说，图 87 是由 4 条连续的线所形成的，至于后者则须要 6 笔才能画成。

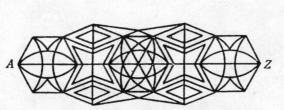

图 86

如这般的例子不胜枚举。

为了请大家多加练习，请将图 89 的图形一笔画看看。

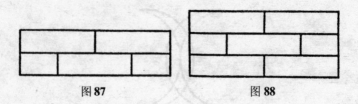

图 87　　　　　　图 88

172. 工作岗位

　　某个工作岗位设有 10 台工作机械，现在这工作岗位的工人有 10 名，每人可以同时使用 2 台机械，而且每一台机械都可同时被工人操作，你能让这些工人各就各位操作自己的机械吗？

图 89

〔数学漫画〕㉓

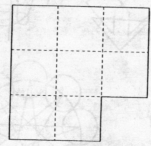

数
学
的
奥
妙

168

问:

贴磁砖时发现少了一块,没办法之下,只好将原有的磁砖切开,重新拼凑成一个正方形。请问,最具效率的切法如何(新的正方形会比原来的稍小些)?

答:如图剪开即可。可利用纸片试着剪剪看。

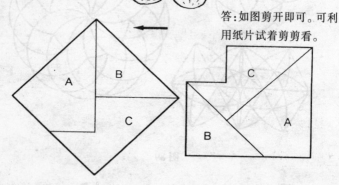

16

迷 宫

迷宫问题的起源可回溯到很久很久以前，已经成为一种传说，不仅古人，连现代还有很多人都认为迷宫的问题相当复杂，一旦踏进迷宫，除非奇迹出现或得到意外的协助，否则绝对无法走得出来。

不过，我们在此要研究与这想法完全相反的方法，事实上，没有出口的迷宫并不存在，同时不论出路多么复杂，绝对有办法找出出口的，在解开问题的答案之前，我们先进行有关迷宫的历史考证。

"迷宫"这名词乃源自希腊语，意思是地下道路。其实，大自然里也有许多走廊、狭路或死巷往一切方向延伸、交叉，一旦踏进迷宫，很容易发生迷路的情形，而找不到出口，由于又饥又渴，最后命丧地下洞穴。

如这般人造迷宫最典型的例子就是各种矿山的矿坑，以及所谓的"地下坟墓"。

看到这些地下洞穴，古代的建筑师们可能想仿效这种方式建造人工建筑物，事实上，古代的文学家们就曾提及埃及的人造迷宫。不过，"迷宫"这句话意味着许多通路与走廊，

形成无数的交叉，不小心走进迷宫的人，为了找寻出口，而终其一生在里面徘徊，是一种极为复杂的人工建筑物，像这样的迷宫建筑，产生了许多古老的传说。

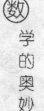

法国圣昆丁教堂的地板用石块砌成迷宫，
入口在下方为垂直形态。

其中最著名的是泰达路斯（Daedalus）为神话之王米罗斯在克里特岛（Crete）建造了一个迷宫，迷宫的中心住着一只牛头人身的怪物（Minotaur），每个走进迷宫的人都因为无法找到出路而沦为怪物的食物，雅典的人们每年要贡献7名少女和7名少年给怪物，让怪物把他们通通吃掉，最后是希修斯（Theseus）消灭了怪物，不仅如此，希修斯还利用公主亚瑞妮（Arachne）给他的线卷，平安无事地离开迷宫，从此以后，"亚瑞妮之线"就成为一句格言，比喻从很复杂的状况中，找出线索，进而解决问题。

迷宫的形态与构造千奇百怪，从复杂的走廊、地下道路或坟墓做成的迷宫，墙壁或地板都是利用建筑技术做出来的，也有些墙壁和地板，使用五颜六色的大理石或砖块表示复杂的设计图案，或者在石上雕刻弯曲的网路，在岩石做浮雕的曲线模样，至今仍保留下来。

19世纪基督教国家的皇袍，都以迷阵的图案为装饰，那种装饰的遗迹在现在的教堂，或集会所的墙壁上仍可见到。以迷阵作为装饰的意义可能是为了象征人生之路是多么的困难或者是生为人的迷惑。12世纪前半期是迷阵最普遍的时候，当时在法国有许多用石头铺成的迷阵，在教堂或集会场所的地板上也绘有迷宫的图案，称为"通往耶路撒冷之道"，意味着只要克服困难，就能升上天国，享受天国的幸福生活。因此，迷宫的中心通常称为"天国"。

在英国教堂的地板上虽然没有迷阵的图案，但是在森林里利用草坪做成迷阵却经常可见，多被命名为"特洛依城"或"牧童的足迹"，莎士比亚在他的戏剧《仲夏夜之梦》或《暴风雨》中所引述的都是如这般的迷阵。

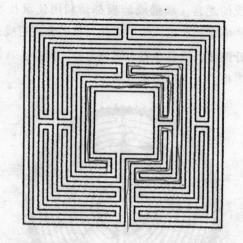

　　以上的迷阵与其说具有数学的性质，不如说具有历史的
性质比较恰当。同时，要找寻其出路的方法并不困难，这些
图案随着时间与岁月的流失，已丧失了本来的意义，而成为
娱乐的对象，现在的庭园、花坛或公园里，经常可以看见迷
阵，里面有许多互相交叉，或者忽然变成死巷的弯曲道路，
形成一条极为复杂的图形，一走进去很难找到中心。

　　根据历史上的考证，迷阵的问题由来已久，同时很多人
对此问题兴趣浓厚，为了找到迷阵的"出口"而费尽心思，
假如迷阵没有出口，那么就是要找到通往中心的路径，或者
是由中心回到入口的路，而且，必须在偶然或幸运之下才能
做到，换句话说，不能根据数学的原理来解决迷宫问题，或
者设计那样的图案，事实上能做到吗？

　　这疑问直到近年才被解开，而且，解释这原理的是伟大
的数学家优勒，他的结论是没有出口的迷阵绝对不存在。

　　至于个别迷宫的解答，可以比较简单的方式找出，比较

数学的奥妙

细心的读者应该能够了解。

有关迷宫问题的几何学结构

形成迷宫的街道、巷子、走廊、回廊与矿坑等等，弯向各种方向，延伸交叉，然后散开一切方向，又互相交叉或无路可走的结构，为了解决此问题，将一切的交叉点以点来表示，同时以直线或曲线表示所有的街道、巷子与走廊，不论线是否在平面上，只要能连接点（交叉点）就行了。

以这些点或线所形成的图形上，顺沿点和线移动，在不离开图形而转移到任意点的时候，这图形形成 1 个几何学的网路或迷阵。

为充足这项条件，现在证明能如此移动点（或以人来表示），同时在不跳跃不中断的原则下，依靠线来描绘网路，而且还要证明每一条线都能走 2 次，这样点当然会通到迷阵的出口。

如此能绕一圈，也可以说由于一切线都必须经过 2 回，从这网路所得到的图形，可以一笔画完成，但就迷宫的情形而言，在里面徘徊的人，无法看到整体的设计图，只能看见眼前的部分，于是情形更加困难，因此限制他证明确实能绕一圈。

但在开始证明之前，先进行一种有趣的数学游戏，这游戏可帮助各位了解前面的道理，同时对于证明的理解有很大的助益。首先，在白纸上画几个点，将这些点的每 2 个以自己所喜欢的直线或曲线连结，于是我们就得到前面称为几何学的网路，例如都市的路面电车或无轨电车的交通网，一国的铁路网，以及河川与运河所形成网路等等，加上各国的边境，这些都可称为几何学的网路，也就是迷阵（开始时的网路不要太复杂）。

接下来在不透明的纸以及厚纸上挖 1 个小洞，以便能看见刚才所画的网路，也就是迷阵的部分，如果没利用这样的纸（打了洞的纸），眼睛所看见的网路将太过于复杂，会很容易产生困惑，接下来将这个镜头（小洞），朝向网的任何 1 个交叉点移动，假定此点为 A，透过镜头，一面用眼睛观察，一面将所有的线都走 2 回（每条路径都来回 1 次），无间断地通过，然后又回到点 A，为了记忆曾经通过 1 回的线，在进入或离开交叉点时，在线上做连字号，根据这记号解决问题以后（每条线各走 2 回），再从 1 个交叉点移至另 1 个交叉点，路径两端各有 2 个连字号的标记，此标记不会多于此数。

在真实的迷阵或地下矿坑的坑道，或者洞穴内的分叉道等，行走的人必须把自己的所在地以其他的记号来标记以示区别，在进入或离开交叉点，也就是在进入或离开坑道时，必须放置石头作为标记才行。

现在我们要回到迷阵是否真有"出路"的问题，根据前面的证明，我们来解决迷宫的一般性问题。

迷宫问题的解答

规则Ⅰ，从出发点（第1个交叉点）离开，顺沿某一条线（路）走到尽头（死巷）或新的交叉点时：

1. 走到无路可走的时候，必须转回头走，那么此路已走2回，可以将其去掉。

2. 走到新的交叉点时，选择新路前进，这时必须在新的路径上做记号。

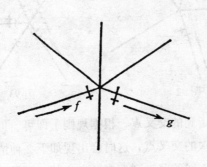

图90

图90表示沿着前头 f 的方向走到交叉点，选择以箭头 g 来表示的方向，然后在进入或离开交叉点的2条路上都标明

记号（图中通过交叉点时所做的记号以十字形表示）。

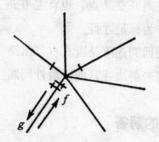

图 91

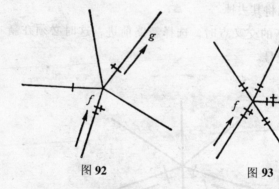

图 92   图 93

    第 1 次走到的交叉点，根据规则 Ⅰ 即可，但迟早会走到已经通过 1 次的交叉点，这时会出现如下 2 种情形，其一为走已经走过 1 回的路来到那交叉点，其二为沿着没走过的新路到达该点，因此必须遵守如下的规则。

    规则 Ⅱ，沿着新路来到已经通过 1 次的交叉点，如图 91 所示，那条道路具有 2 个记号（到达与重新出发），必须回到原来的方向才行。

规则Ⅲ，如果沿着本来的路，到达新的交叉点，路上会有 2 个记号，如果有新的路就顺着方向前进，这情形可参考图 92。

如果没有新的路，那么选择曾走过 1 次的路前进，这情形如图 93 所示。

严格遵守这些规则，能将形成网路的线各走 2 回，然后回到出发点，同时，若能预先留意到下列的情形，就能彻底了解这问题，并加以证明。

1. 出发点，例如由 A 出发时做好出发的记号（横切线的连字号）。

2. 顺着前述的 3 个规则之一，每次通过交叉点时，在集中那点的线上会增加 2 个记号（横切线的 2 个连字号）。

3. 在通过迷阵的任何点，也就是在到达任何交叉点之前，或离开交叉点之后，最初的交叉点（出发点）的记号（连字号）的个数为奇数，但其他交叉点的记号皆为偶数。

4. 不论是通过交叉点之前或之后，在任何一种情形下在最初的交叉点只有 1 个记号的道路只有 1 条，另一方面，已通过其他一切交叉点，各有 1 个记号的道路刚好有 2 条。

5. 迷阵绕完一圈以后，通过一切交叉点的道路各有 2 个记号，这事实已充足了问题的条件。

能注意上述的情形后，就会了解假如有人从 A 出发到另一点 M 时，他的旅程将不会遭遇到困难，事实上他所到达的任何 1 处，不是新的路，就是曾走过 1 回的路，前者可利用前述的规则Ⅰ与Ⅱ，而后者在到达点 M 的时候，该点的记号为奇数，因此，在那里如果找不到新的路，就顺着曾

走过 1 次的路前进即可，根据第 3 点注意事项，其交叉点（如果不是出发点）的记号就成为偶数。

假定最后旅程结束，必须回到出发点 A 时，将这条最后的路径称为 ZA，表示该线是由交叉点 Z 通至 A，这条路必须是起先由 A 出发的路才行。而后，既然必须依靠这条路回到出发点，意味着没通过 2 次的 Z 到其他道路已无路可走，否则就是忘了应用规则Ⅲ的前半部分，不仅如此，还意味着如第 4 点注意事项所示，还有只通过一次的另一条道路 YZ，如这般回到出发点 A 时，通过 Z 的道路都有 2 个记号，以同样的方式可证明以前的交叉点 Y 以及其他一切的交叉点，换句话说，我们的课题已经证明完毕，同时问题也已经解决。

〔数学漫画〕㉔

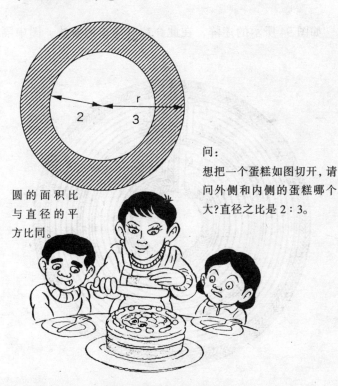

圆的面积比与直径的平方比同。

问:
想把一个蛋糕如图切开,请问外侧和内侧的蛋糕哪个大?直径之比是 2∶3。

拾陆

迷

宫

179

答:内侧圆和外侧圆(大圆)的半径比是 2∶3,面积比则

是 $\pi 2^2 : \pi 3^3 = 4 : 9$

全面积 - 内测圆 = 9 - 4 = 5

所以,外侧为 5,内侧为 4,外侧蛋糕比较大。

173. 令人感到头晕的迷阵

如图 94 所示的迷阵，在此介绍其简单的解法，图中隔

数
学
的
奥
妙

180

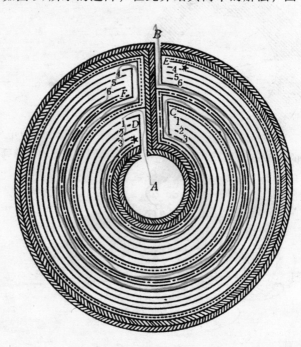

图 94

开的线以实线表示，而主要路径则以虚线与点实线来表示，
依靠图所得到的解法，起先由 A 移至 C，接着由 F 移至 B。

但是到 C 的时候，要到 D 所出现的三条路分别以 1, 2,
3 来表示，同理，到 E 的时候，要到 F 有 4, 5, 6 三条路，
从 C 至 E，D 至 F，D 至 E，各有虚线、点实线以及星号的
道路，因此这情形可以图 95 的一般简单化的图形来表示，

这图形的一切路径和圆形迷阵的道路相对应，加上看起来很清楚，因此除了这些条件以外，加上同一条路不走 2 次的条件，可了解由 A 至 B 有 640 种走法。

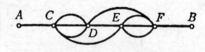

图 95

顾名思义，这真是令人头晕的迷阵。

174. 凉亭

根据前面所叙述的原理，已经学会迷阵问题解法的诸位读者，可轻易找出通达图 96 所描绘的公园中的凉亭，为了节省时间，各位可能认为从凉亭出发，找寻复杂的出口要比从入口出发，找寻凉亭所在还要简单，不过有空的时候，不妨试着走走看，其中的妙趣无穷。

175. 另一种迷阵

图 97 是另一种有趣的迷阵，试试看，能否在最短的距离内找到通达中心的路径。

图 96

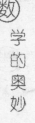

176. 英国国王的迷阵

英国国王威廉三世的王宫庭园之一，是由行道树和围栏所形成的迷阵，栽种着行道树的道路长达半英里，庭园中心有 2 棵大树，每棵树下各有一张长凳，请参照图 98。

走到庭园中心，然后又离开庭园的方法，就是从一踏入迷阵开始，一直到最后右手都不离开围栏。

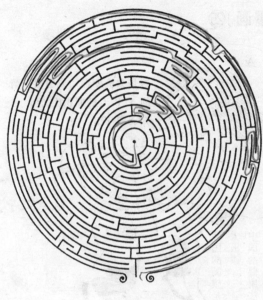

图 97

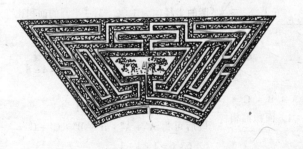

图 98

数
学
的
奥
妙

184

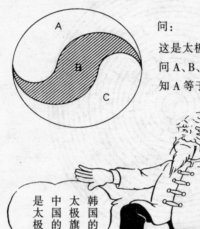

问：

这是太极变形而成的图，请问 A、B、C 的面积比如何？已知 A 等于 B。

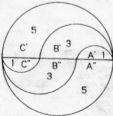

韩国的国旗是太极旗，中国的健康法是太极拳。

先以直线将大圆 2 等分，A′、B′、C′，3 半圆的半径比为 1：2：3，3 半圆的面积比即为 $1^2：2^2：3^2 = 1：4：9$

而 A′、B′、C′各被画分出来的面积是：

A′ = 1　　B′ = 4 − 1 = 3　　C′ = 9 − 4 = 5

因此，A′：B′：C′ = 1：3：5

同理，A″：B″：C″ = 5：3：1

最后可得 A′ + A″：B′ + B″：C′ + C″ = 6：6：6 = 1：1：1

答：A：B：C = 1：1：1，面积都相等。

17

解 答

一、

1. 其中一人分到苹果和篮子。

2. 有些人可能这么想：4 个角落各有 1 只猫，每只猫的对面各有 3 只猫，合起来是 12 只，加上原来的 4 只，就变成 16 只了。同时每只猫的尾巴上各有 1 只猫，那么，房间里总共有 32 只猫。这种想法应该没错……但更正确的答案是：房间里只有 4 只猫，既不多也不少。

3. 这问题如果没给予思考的时间，而要求立即作答，一般人可能会回答：第 8 天，但事实上，在第 7 天的时候就剪到最后一个了。

4. 把这数字写在纸上，然后将纸倒过来看（180°回转），就变成 999 了。

5. 有的，例如 $\dfrac{-3}{6} = \dfrac{5}{-10}$。

6. 如果将马蹄铁想成弧形，那么，无论如何都不可能用 2 条直线分割出比 5 还多的部分（如图 99a）。但是，如实际的马蹄一般拥有宽度的话，情形就不同了，在这种情形下多试几回，正确的就出来了：可以两条直线将马蹄铁分割成 6 部分（如图 99b）。

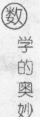

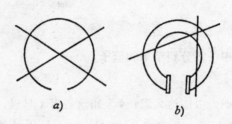

a)   *b)*

图 99

7. 老人只向那两个年轻人说："你们互相换对方的马来骑。"两人立刻同意老人的建议，互相换对方的马来骑，为了使自己的马慢到终点，彼此都拼命鞭策所骑对方的马全速奔驰。

〔数学漫画〕㉖

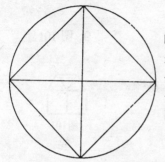

问：

这是谜题大王狄洛尼9岁时创作的谜题。即笔不可离开纸面、一笔画成左图。同样的线条不能画两次。

"我有9个兄弟,为博得他们的高兴,我才创作谜题。有人建议我投稿少年杂志,后来稿件被采用,稿费是5先令。"(狄洛尼)

答:独立思考。

★ 谜题大王狄洛尼(1857～1930)生于4月,死于4月,是将毕生精力奉献给谜题创作的英国人。和美国人劳埃一样,同是现代谜题的元祖。

二、

数
学
的
奥
妙

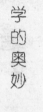

8. 至 25. 请参照图

8. 图 100

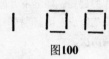

图 100

9. 图 101

图 101

10. 图 102

图 102

11. 图 103

图 103

12. 图 104

图 104

13. 图 105

图 105

14. 图 106   15. 图 107

16. 图 108   17. 图 109

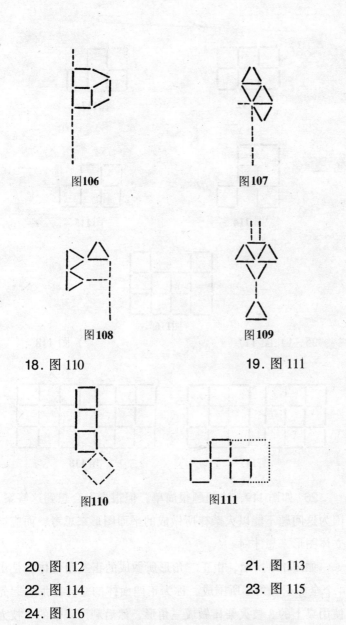

图**106**　　　　　　图**107**

图**108**　　　　　　图**109**

18. 图 110　　　　　　**19.** 图 111

图**110**　　　　　　图**111**

20. 图 112　　　　　　**21.** 图 113
22. 图 114　　　　　　**23.** 图 115
24. 图 116

答

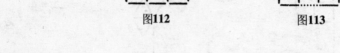

图112   图113

图 114   图 115

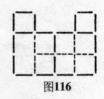

图116

25. 1) 图 117   2) 图 118

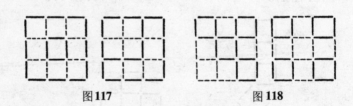

图117   图118

26. 如图 119，这问题很简单，但很少人会想到这答案，因为这问题不能以火柴棒所做成的平面图形来思考，而应以立体图形来想才对。

如图 119 所示，由正三角形所做成的正三角锥体，是由 4 个全等正三角形所围成，称为正四面体的立体图形。起先使用桌上的 3 枝火柴棒做成三角形，然后利用剩余的 3 枝火

图 119

柴棒，使下端连接桌上三角形的顶点，接下来使上端和三角
形的重心一致，那么，就可获得这问题的答案了。

27. 起先会觉得这问题很难，但答案非常简单。首先，

图 **120**

图 **121**

把火柴棒 A 摆在桌上，然后将其他 14 枝火柴棒依序和这枝
火柴棒垂直排列，并使它们紧密地连接，这时，火柴棒的前
端必须突出于 A1～1.5cm，至于火柴棒的后端，则必须紧贴
桌面（如图 120），接着在互相交叉的火柴棒上方所形成的
凹陷部分，将剩余的 1 枝火柴棒以和 A 平行的方向排下，这
时轻轻捏着 A 端往上抬起，很奇妙地，其他 15 枝火柴棒也
自然抬起来了（如图 121）。

数
学
的
奥
妙

问：左图是一个正方
形和另半个正方
形结合而成的图
形，现要4等分为
同一形状，请问如
何分法？

答：如图。

★ 三角形部分是问题
的关键所在，所以，要将
全部分割为三角形来思
考。

三、

29. 一般人会反射性地想到"7 艘"这个答案，其实，这答案并不正确，因为要把已经朝向哈佛尔的船只和正等着出发的那一艘船加进来算才行。

当这艘轮船从哈佛尔出发的时候，同一家公司已经有 8 艘轮船朝哈佛尔的方向航行（其中 1 艘已经到达哈佛尔，另 1 艘刚好从纽约出发）。

所以这艘轮船都会和那 8 艘船相遇，另外，在航向纽约的 7 天当中，纽约也分别有 7 艘船出发（其中最后 1 艘在轮船抵达纽约的同时出发），因此也会和这艘轮船相遇，最后答案应该是 15 艘才对。

答

193

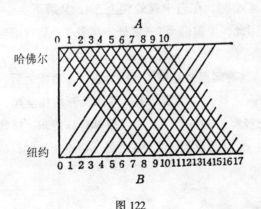

图 122

为了使各位更清楚地了解答案的理由，以图形来说明之。图 122 就是这家公司汽船的航行图，横轴代表日数（图

122⊥哈佛尔，⊤纽约），由此图可以看出 A 至 B 的斜线部分表示轮船的航运情形，每艘轮船在航行途中分别和 13 艘船相遇，同时在出发与到达的那一瞬间各与 1 艘船相遇，合起来总共有 15 艘船。不仅如此，这张图表也显示出每艘船相遇的时间不是在每天的中午，就是在深夜十二点。

30．想到第 6 个客人获得 1 个完整的苹果，问题就很容易解决了，如此就可推算出第 5 个客人买了 2 个苹果，第 4 个客人买了 4 个，第 3 个客人买了 8 个……因此苹果全部有：$1 + 2 + 4 + 8 + 16 + 32 = 63$，换句话说，农妇带了 63 个苹果到市场去卖。

31．在解答这个问题的时候，有些人可能这么想，每 1 昼夜是 24 小时，在当中蜈蚣爬上 5m，又滑下 2m，总共前进 3m，因此，要前进至 9m 之处，须要 3 个昼夜的时间，答案应该是星期三上午 6 点。

但，这答案很明显错了，因为在 2 个昼夜之后，蜈蚣已经爬上 6m 之处，在星期二上午 6 点又开始往上爬，到晚上 6 点时已经爬到 11m 高了，所以简单计算便知，蜈蚣在星期二下午 1 点 12 分就能达到 9m 之处（假设蜈蚣爬行的速度不变）。

32．其实这问题很简单，但一般人容易陷入各种细微的复杂计算之中而钻牛角尖，如果能掌握苍蝇不会停留的关键，就可知道苍蝇正好飞了 3 个钟头，所以答案很简单，苍蝇的飞行距离是 300km。

33. 这问题和前述的问题很相似，答案与这只狗的主人是谁无关，第二个行人在 4 小时之后赶上第一个行人，那么，在这期间狗跑了：

$$4 \times 15 = 60 \ (km)。$$

34. 个位数为 5 的一切整数，可以 $10a + 5$ 的形态来表示，而 a 代表十位数的数字，所以：

$$(10a + 5)^2 = 10^2 \cdot a^2 + 2 \cdot 5 \cdot 10a + 5^2$$
$$= 100a^2 + 100a + 25$$
$$= 100a\,(a + 1) + 25$$

由这等式可知，要求 $10a + 5$ 的整数平方，只要在 $a(a+1)$ 的右侧加上 25 即可。

以这类似的方法，只要个位数是 5，不仅能应用于 2 位数，更多位数的平方也能求出，在这情况下，要以心算的方式来计算或许不容易，但如果在纸上计算的话，将可节省许多时间。例如：

$10 \cdot 11 = 110$，因此 $105^2 = 11025$

$12 \cdot 13 = 156$，因此 $125^2 = 15625$

$123 \cdot 124 = 15252$，因此 $1235^2 = 1525225$

35. 将最末位的数字 2 移到最前方，数字就变成 2 倍，所以，倒数第 2 位的数字为 $\qquad 2 \times 2 = 4$

其上位数是 $\qquad\qquad 2 \times 4 = 8$

再上一位的数字是 $\qquad 2 \times 8 = 16$

更上位的数字是 $\qquad\qquad 2 \times 6 + 1 = 13$

以此类推……就能求出答案，同时，此数最高位的数字必然是 1，所以当其中 1 个数字加以 2 倍，并加上由下位所移上的 1 时，和为 1 就可停止计算，故问题的答案为

105　263　157　894　736　842

此即为问题的答案之一，如果按上述的方法继续下去，还可求出其他的答案（无穷尽），此时各位将发觉这些答案都是由上列的数字所组合而成。

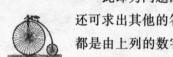

36. 在所要求的数加上 1，使其能被 1，2，3，4，5 和 6 整除，具有这种性质的最小数是 60（最小公倍数），因此这数列是：60，120，180，……

由于此数也能被 7 整除，所以在这数列里寻找被 7 除余 1 的数，符合这条件的最小数是 120，故此问题答案的最小数为 119。

38. 必须要走到放苹果的地方，然后回到篮子的地点，因此所要走的路程以米来表示的话，是 1 至 100 的整数和再乘以 2，也就是 101 的 100 倍，等于 10100（米）。换句话说，要走 10 公里以上的路程，这种收集苹果的方式是很辛苦的。

39. 普通的钟每一次所敲的次数最多是 12 次，所以这问题只要求 1 至 12 的整数和，就能获得正确的答案。不过，如果按前述的方法来算，以为答案是 13×12 的一半，那就错了，因为 1 昼夜从 1 至 12 时的时刻有 2 次，所以要算出钟究竟敲了几下，只须 13×12 即可，答案应该是 156 才对。

如果钟在 1 点半、2 点半，也是每次到 30 分就会敲 1 下

的话，1昼夜究竟敲了多少下的问题，也很容易求出答案。

41. 求 1 至 $2n-1$ 所有的奇数和，然后确定是否和 n^2 相等的方法很多，在这里我们利用图形来解答。

首先设定一个由 n^2 的格子所形成的正方形，图 123 就是 $n=6$ 时的情形，如图所示，在格子上画斜线，将正方形以颜色的差别区分为几部分，然后从左上角开始数被斜线所区分的格子数，第 1 部分（斜线部分）的格子只有 1 个，第 2 部分（空白部分）的格子有 3 个，第 3 部分的格子有 5 个，以此类推，格子数渐渐增加，至最后的第 n 部分，格子数为 $2n-1$，所以正方形全体的格子数为

$$1 + 3 + 5 + 7 + \cdots + (2n-1)$$

这表示我们要证明的等式已经成立。

如图所示，还可算出更多这类问题的和。

图 123

〔数学漫画〕㉘

问：
这是一张四方形的纸。能用
剪刀1次剪出4个正方形
吗？

纸可以折。

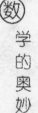

198

答：能。做法如下：
①对角线 BD 对折，
使 A、C 点重叠。
②再折出 A O 对角
线，使 B、D 点叠合。
③从 E O 线剪开即
成。

四、

42. 由图 124 就能了解问题该如何解答了。

能够做出这样的桥，可从不等式

$$2\sqrt{2} < 3$$

的数学定理来证明。

另一方面，在水沟的部分画上将宽度平分为 3 等分的虚线也同样能够证明。

图 124

43. 首先，2 个少年要到对岸去，其中 1 人留在岸上，另 1 人划船回到士兵那里，然后下船让 1 个士兵划到对岸，士兵上岸之后，原本留在对岸的少年划船回到这一岸，然后载他的朋友回到对岸，让他下船之后，自己再划船回到士兵那里，接着第 2 个士兵划船到对岸，如此反复下去，船每来回两趟就送 1 名士兵上岸，直到士兵全部上岸为止。

44. 我们知道必须先带羊过河，然后农夫折回来带狼过河，顺便再把羊载回来，让羊留在岸上并载高丽菜到对岸去，接着农夫独自返回把羊送到对岸。

45. 这是一个既古老又有趣的问题，假设以 A、B、C 来代表骑士，而 a、b、c 则代表随从，那么现在的情况如下：

此岸	对岸
ABC	···
abc	···

①2 个随从先到对岸去。

ABC	···
··c	ab·

②其中 1 个随从回来，载剩余的 1 名随从到对岸去。

ABC	···
···	abc

③1 名随从划船回来和自己的主人留在岸上，让其他 2 名骑士划船到对岸和自己的随从会合。

··C	AB·
··c	ab·

④其中 1 名骑士载自己的随从回来，把随从留在岸上，和剩下的那名骑士划到对岸。

···	ABC
·bc	a··

⑤随从 a 划船载 1 名随从过河。

···	ABC
··c	ab·

⑥然后骑士 C 再划船回来载自己的随从到对岸去。

| · · · | ABC |
| · · · | abc |

46. 各带 1 名随从的 4 位骑士，在问题条件的限制下，根本无法过河到对岸去。

为了证明这点，假设全部都能过河，我们将船的来回设定号码，那么奇数的号码表示船在对岸，偶数就代表船已经回到此岸。现在假定对岸有 3 个以上的骑士，奇数次最小的号码以 $2k-1$ 来表示，由于每次船只能载 2 人，所以在这之前，从此岸到对岸要做 $2k-1$ 次的渡河时，对岸必须有 1 名骑士留在那里。如上述 $2k-1$ 为最小的号码，因此，$2k-1$ 次的渡河时，对岸的骑士不是 1 位就是 2 位。

假设 1 位的话，留在此岸的骑士以 A、B、C 来表示，对岸的骑士则以 D 表示，4 名随从各以 a、b、c、d 来表示，那么按照问题的条件，骑士与随从的组合只有一种，要进行 $2k-1$ 的渡河时情况如下：

此岸	对岸
ABC	D
abc	d

那么，要进行 $2k$ 次的过河时，由谁来坐船呢？如果 D 坐船的话，$2k+1$ 次的渡河时，对岸骑士就只有 2 人以下，这与假设不合，因此在进行 $2k$ 次的渡河时，只有随从 d 能坐船而已，可是这么一来，回到此岸的 d 就必须离开自己的主人和别的骑士在一起，又违反了问题的规则，换句话说，无论 D 或 d 都无法进行 $2k$ 次的过河，所以第一种情形不可能。

接下来我们再假设另一种情形，就是当 2k − 1 次过河时，留在此岸的骑士有 A 和 B，对岸的骑士有 C、D2 人。

此岸	对岸
AB	CD
ab	cd

在这种情形下，要进行 2k 次的渡河时，由谁来坐船呢？如果是 C 或 D 的话，在由此岸 2 名骑士进行 2k + 1 次的渡河时，随从 a、b 其中 1 人必须离开自己的主人而陷入不安的状态。虽然如此，在 2k 次的渡河时，如果由 c 或 d 离开主人坐船回到此岸，就会遇到 A、B2 名骑士，与问题条件不合，因此，这假设的情形也无法成立。

于是我们发觉，如果要遵守问题的条件，就不可能有 3 名以上的骑士过河到对岸去。

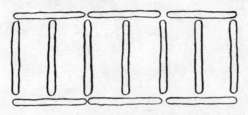

可利用火柴棒实际做做看。

问:

这儿有 6 个大小相同的羊栏, 是由 13 根木头所围成, 但其中 1 根被偷走了。现在想用剩下的 12 根木头, 重新作成 6 个面积相等的栅栏, 请问该怎么做?

答

203

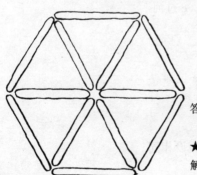

答:如图。

★ 像这般高明又独特的解法,是狄洛尼的特征。

47. 四名骑士以 A、B、C、D 来表示，随从则以 a、b、c、d 表示。

此岸 | 对岸
ABCD | ····
abcd | ····

①先让随从 b、c、d 过河。

ABCD | ····
a··· | ·bcd

②随从 b 回到上岸，骑士 C、D 划船到对岸。

AB·· | ··CD
ab·· | ··cd

③骑士 C 和随从 c 坐船回来，然后骑士 A、B、C 过河到对岸去。

···· | ABCD
abc· | ···d

④随从 d 回来载 b、c 过河。

···· | ABCD
a··· | ·bcd

⑤1 名随从回来载 a 过河。

···· | ABCD
···· | abcd

48. 与上述问题的假设相同。

此岸 | 岛 | 对岸
ABCD | ···· |
abcd | ···· |

①骑士 D 载自己的随从到岛上去，然后自己划船回来。

数
学
的
奥
妙

ABCD| |····
abc· |d|····

②骑士 C 将自己的随从载到对岸，然后自己回来。

ABCD| |····
ab·· |d|··c·

③骑士 C 载骑士 D 到岛上，然后自己到对岸载随从 c 折回此岸。

ABC· |D|····
abc· |d|····

④骑士 ABC 和随从们不到岛上，而直接过河到对岸（请参照问题 45 的解答）。

····|D|ABC·
····|d|abc·

⑤骑士 A 载自己的随从到岛上，让随从留在那里，然后载骑士 D 到对岸。

····| |ABCD
····|ad|·bc·

⑥随从 c 先把 a 载到对岸，再折回去载 d 过河。

····| |ABCD
····| |abcd

49．在火车站附近，铁路如图 125。

首先，火车 B 沿着本轨前进，直到全部车厢都超过了避让线的入口，接着火车 B 开始退入避让线，把避让线所能容纳的车厢留下，其他部分和火车头一并前进，离开避让线的入口之后，再继续往前进，这时火车 A 快到车站了，当A的车厢全部通过避让线的入口时，立刻停车，把最后一个车厢和火车B留在避让线的车厢连结之后，再把全部车厢从避让线里拖出来，然后火车A开始后退，一直退到正轨与避让线的交叉口之后，再和火车B的车厢分开。另一方面，有火车头的火车B退入避让线里，让火车A先行通过，然后火车B的火车头和部分车厢从避让线出来，连接停在正轨的车厢，跟着火车A的后面出发。

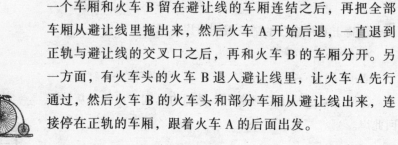

图 125

50. 船的位置和河道、河湾的情况如图126。

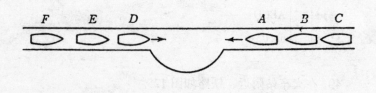

图 126

首先，B与C往后退（向右），A进入河湾，然后D、E、F沿着河道前进，与A擦身而过之后，A从河湾出来，继续往前进（向左），接下来，D、E、F再回到原先的位置，让 B 如 A 那般通过，再让 C 也按照同样的方式擦身而过，然后双方平安无事地继续航行。

数
学
的
奥
妙

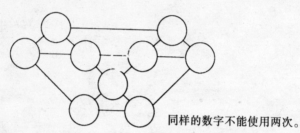

同样的数字不能使用两次。

问:

爱因斯坦博士是个喜爱猜谜的人,有天他作出了下面这样的问题。
图中 9 个○是 4 个小等边三角形,和 3 个大等边三角形的顶点。请
在 9 个○中填入 1 至 9 的数字,使 7 个三角形的顶点都相等。

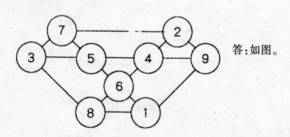

答:如图。

五、

51. 将 5 个饼干中的 3 个分成 2 等份，就可获得 6 块大小相等的饼干，先给孩子们每人 1 块，接着再把剩下来的 2 个饼干分成 3 等份，又得到 6 块大小相同的饼干，再各分 1 块给孩子，问题就解决了，这时没有任何饼干分成 6 等分。

52. 尼基塔和帕威尔的说法都不正确，11 个馒头分成 3 等分，意味着每人吃 $\frac{11}{3}$ 个。

帕威尔带 7 个馒头来，自己吃了 $\frac{11}{3}$ 个，所以他分给猎人，$7 - \frac{11}{3} = \frac{10}{3}$ 个。

至于尼基塔，他带了 4 个馒头，自己吃掉 $\frac{11}{3}$，把剩余的 $\frac{1}{3}$ 给猎人。

猎人总共吃了 $\frac{11}{3}$ 个馒头，同时他也付了 11 戈比，这意味着：他每吃 $\frac{1}{3}$ 个馒头，就付出 1 戈比。其中 $\frac{10}{3}$ 是从帕威尔那里得来的，只有 $\frac{1}{3}$ 才是尼基塔给他的，因此，帕威尔应得 10 戈比，尼基塔应得 1 戈比才对。

53. 伊凡建议采用如下的方式来分麦：
"首先，我用目测法把麦分成 3 堆，以我的立场来说，每堆麦都一样多，所以请彼得选出他觉得最小的 1 堆，如果尼克莱也认为那一堆麦少于 $\frac{1}{3}$，那么，那一堆就归于我，剩余的 2 堆你们可用以前的方法来分配。另一方面，假如尼克莱觉得某一堆麦大于 $\frac{1}{3}$ 的话，就把那一堆麦给尼克莱，然后，彼得从剩余的 2 堆中挑选他认为较大的那堆，剩下最后 1 堆就是我的。"

农夫们都同意以这种方式来分麦，最后，大家都很满足地扛着自己的麦回家。

54. 全部木桶（包括装满葡萄酒，装了一半的葡萄酒，以及空桶三种）的规格大小相同，所以，3 个人平均各获得 7 个木桶，现在，我们来计算每个人平均要获得多少葡萄酒？

装满葡萄酒的木桶有 7 个，同时，没装一滴萄葡酒的空桶也有 7 个，这时，如果将那 7 个木桶满满的葡萄酒分一半给另外 7 个空桶，那么，这 14 个木桶里，通通装了一半的葡萄酒，加上原先就有 7 个木桶装了半满的葡萄酒，因此，全部有 21 个半桶的葡萄酒，每人可分得 7 个半桶的葡萄酒。由此可知，在不移动桶内葡萄酒的情况下，3 人平均获得等数的木桶与等量的葡萄酒的方式为：

	全满	半满	空桶
第 1 个人	2	3	2
第 2 个人	2	3	2
第 3 个人	3	1	3

也可分为另一种情形：

	全满	半满	空桶
第1个人	3	1	3
第2个人	3	1	3
第3个人	1	5	1

55. 这问题的答案有两种，但这两种都是反复将 8 斗木桶中满满的葡萄酒，倒进空桶内，然后再倒出来，以这方式尽量把酒分为 4 斗。

答案如下列两个图表，其中的数字表示每倒 1 回，各木桶中葡萄酒的变化情形。

答 1

8 斗	5 斗	3 斗	
在还没倒之前	8	0	0
倒第 1 次以后	3	5	0
倒第 2 次以后	3	2	3
倒第 3 次以后	6	2	0
倒第 4 次以后	6	0	2
倒第 5 次以后	1	5	2
倒第 6 次以后	1	4	3
倒第 7 次以后	4	4	0

答 2

在还没倒之前	8	0	0
倒第 1 次以后	5	0	3
倒第 2 次以后	5	3	0
倒第 3 次以后	2	3	3
倒第 4 次以后	2	5	1
倒第 5 次以后	7	0	1
倒第 6 次以后	7	1	0
倒第 7 次以后	4	1	3
倒第 8 次以后	4	4	0

数学的奥妙

56.

答 1				答 2		
16 斗	11 斗	6 斗		16 斗	11 斗	6 斗
16	0	0		16	0	0
10	0	6		10	0	6
0	10	6		10	6	0
6	10	0		4	6	6
6	4	6		4	11	1
12	4	0		15	0	1
12	0	4		15	1	0
1	11	4		9	1	6
1	9	6		9	7	0
7	9	0		3	7	6

7	3	6		3	11	2
13	3	0		14	0	2
13	0	3		14	2	0
2	11	3		8	2	6
2	8	6		8	8	0
8	8	0				

拾柒

解

答

数
学
的
奥
妙

问:

著名的大众情人唐璜,一向最讨厌数字。他说:"看到数这个字,就知道一点也没用!"说着,还用手指戳戳"数"这个字。请问,他是什么意思?

88岁的女性不气死才怪。

答:将"数"这个字分解如上图:
数等于米加女加文。

米是八十八。唐璜的意思是:
"写情书(文)给八十八岁的老女人,当然一点也没用!"

57.

答 1				答 2		
6 斗	3 斗	7 斗		6 斗	3 斗	7 斗
4	0	6		4	0	6
1	3	6		4	3	3
1	2	7		6	1	3
6	2	2		2	1	7
5	3	2		2	3	5
5	0	5		5	0	5

"分配问题的一般解答方法"。

像这样的类似问题，我们能轻易地举出一大堆例子，但是光靠答案来说明解答的办法，并不能使读者清楚了解为何要使用某种规则的原因，现在为了找出其中的规则，我们以不同的角度来看问题——从图形来解决问题。

为了使各位更清楚地掌握自己的想法，让我们先看看问题 57。倒了几次之后，将装在第 1 个木桶和第 2 个木桶内的葡萄酒分别以 x 和 y 来表示，同时，无论如何转移，葡萄酒的总量始终维持不变，也就是 $4 + 6 = 10$（斗）。

因此，我们可以假设第 3 个木桶内的葡萄酒为：

$10 - x - y$（斗）

而且各桶的葡萄酒量绝不可能大于该桶的容量，根据这项条件我们可以列出如下的不等式：

$$\begin{cases} 0 \leq x \leq 6 \\ 0 \leq y \leq 3 \\ 0 \leq 10 - x - y \leq 7 \end{cases} \quad \text{也就是} \quad \begin{cases} 0 \leq x \leq 6 \\ 0 \leq y \leq 3 \\ 3 \leq x + y \leq 10 \end{cases}$$

接下来，为了方便作图起见利用方格纸，先在纸上画出固定的一点（原点 O），然后再画通过这点的两条垂直线，一条称为 x 轴，另一条称为 y 轴。接着在 xy 坐标上标出能够对应上述不等式的点和线，将这些直线区域的交集部分画上斜线，此斜线部分就代表该不等式的所有点集合，如图

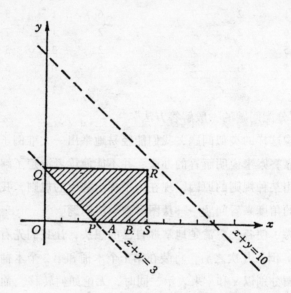

图 127

127 所示，四角形 PQRS 的内部及周边就是上述不等式的点集合，其中点 A（x = 4，y = 0）表示葡萄酒最初的分配情形，至于能够符合问题所要求的分配情形，很明显就是点 B（x = 5，y = 0，这时第 3 个木桶内有 5 斗的葡萄酒）。

从 A 至 B 一连串的倒移过程，在图中各以点来表示，依序将每两点连接起来就形成折线，这折线就代表由点 A 开始到点 B 结束的整个过程。

现在说明这条折线的顶点，以及每边所需的充分条件。

每次倒移葡萄酒时，必须使其中 1 个木桶装满葡萄酒，或另 1 桶变空才能停止，换句话说，每次倒完之后，至少会有 1 个空桶或装满葡萄酒的木桶，那么，在四角形 PQRS 当中，符合这种条件的点在哪里？当第 1 桶装满时（x = 6），该点在线段 RS 上面，当这桶空的时候（x = 0），第 2 个木桶和第 3 个木桶必须装满才行（3 + 7 = 10），能够符合这个条件的点只有 1 个，也就是点 Q。同样的道理，当第 2 个木桶变空时（y = 0），对应点就被分配到直线 PS 上，如果这桶装满葡萄酒的话，点就落在线段 QR 上面，最后，由于第 1 个木桶和第 2 个木桶的容量合起来不到 10 斗，所以第 3 个木桶绝对不会变空，反过来说，当第 3 个木桶盛满葡萄酒时，第 1 个木桶和第 2 个木桶内只装了 10 − 7 = 3（斗）的葡萄酒（x + y = 3），这时点位于线段 PQ 上面，反正无论如何，点都位于四角形 PQRS 的周边上，由此可知，问题的折线顶点必然位于四角形 PQRS 的 4 边上。

其次，不知各位读者是否留意到，每次倒移葡萄酒时，都有 1 个木桶的葡萄酒不会改变，因为每次倒移时只用到其中 2 个木桶。现在，假设第 1 个木桶内的葡萄酒不变（x 固定时），将倒移前后的对应点连接成一直线，可发觉该线与 y 轴平行（此时，线段每 1 点的 x 坐标都相同）。如果倒移时第 2 个木桶的葡萄酒不变，那么，其所对应的折线部分必然和 x 轴平行（y 座标固定）。当倒移葡萄酒和第 3 桶无关时，第 1 桶和第 2 桶内葡萄酒的总量维持不变，换句话说，线段两端的 x + y 等值，所对应的折线部分和线段 PQ 平行。总之，折线的各边都与 x 轴、y 轴或两轴的角平分线互相垂直。

为了使读者更清楚地了解，假设折线的边与四角形 PQRS的周边 PQ 重合，这么做有何意义呢？由于此边与 x 轴，y 轴形成 1 个等腰三角形，因此，倒移葡萄酒时和第 3 个木桶无关，不仅如此，当第 3 桶盛满葡萄酒的时候，第 1 桶和第 2 桶总共有 x + y = 3（斗）的葡萄酒，在这种情况下倒移葡萄酒，不是第 1 桶变空（x = 0，点 Q），就是第 2 桶变空（y = 0，点 P），而四角形 PQRS 的各边都有同样的情形，由以上的叙述我们可以发现，当折线的任何部分与四角形 PQRS 重合时，其终点会和 P、Q、R 或 S 中某 1 点一致（重叠）。

于是我们可依靠图形将问题分析如下，折线的所有顶点都位于四角形的边上，因此各部分都与 x 轴或 y 轴平行，或者和两轴形成等角，如果折线的边和四角形的边重合时，其终点就必须和四角形的顶点之一重叠。

在这种形态下，问题会变得更浅显，所要求的折线也更容易找到（请参照图 128、129）。

在方格纸上画折线时，注意使每一部分都通过格子点，并且使顶点和格子点互相重叠，就能很轻松地把折线画出来，图 128、129 所表示的折线，各和答 1 与答 2 对应，有关这点的证明是极为简单的。

至于其他问题，就是由平行四边形（问题 55）、五角形（问题 56）等多边形来担任四角形 PQRS 的任务，有时甚至会出现六角形，不过，这种类型的问题，图形以 6 边为最大的极限，此时问题的做法如前述，只不过多角形与点 A、点 B 的位置会稍作改变罢了。

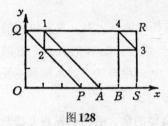

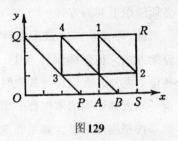

图 128　　　　　　　　　　图 129

将问题以作图的方式来解决，会使你的概念更清楚，不过，作图时所花费的时间较多，并且须要使用纸和笔，所以我们现在只依靠作图的想法，实际上并不作图，而将问题所须要的步骤很快地重复一遍。

多角形的顶点和 2 个木桶同时到达极限的状态（这时，2 个木桶不是全空，就是全都盛满葡萄酒，当然也可能是 1 桶为空，另一桶装满的情形），此时葡萄酒的分配方式如下：

Ⅰ. 首先，葡萄酒的转移至少会使 2 个木桶到达极限的状态。

以图形来看，意味着从点 A 开始画直到多角形的 1 个顶点才结束的折线。

Ⅱ. 在各个阶段里，把上回倒移时不受影响的木桶里的葡萄酒倒进另 1 个桶内，并且在当时达到限界状态的 1 个木桶内葡萄酒量不变的情况下，绕一圈多角形的各顶点看看。

从图形可知，应用规则Ⅱ的方式，意味着反复从多角形 1 个顶点同邻接的顶点移行，可是顶点只有 6 个，所以当规则Ⅱ反复 6 次之后，又回到第 1 次通过的顶点，这表示又回复到从前所分配的方式。

反过来说，如果应用规则Ⅰ没有到达点 B，加上点 B 不是多角形的顶点时，即使根据规则Ⅱ也无法抵达点 B，此刻必须应用下列的方式。

Ⅲ. 不论从点 A 或多角形的任何顶点出发，重复以前的分配方式，在继续倒移当中，会到达分配 B 的方式，这时各位会发觉，在倒移葡萄酒时，达到限界状态的木桶和不受前一回倒移影响的木桶都必须参与才行。

按照图形来看，如果能这么做的话，必然会发现方法只有1种（可是，由点 A 出发时，偶尔会如前面所叙述的一般、分成2种折线），如果使用规则Ⅲ仍无法做到 B 的分配时，表示无论葡萄酒如何倒移，均不可能使葡萄酒从条件 A 的状态，演变成 B 的状态，换言之，假如连规则Ⅲ都无法做到问题的要求，即代表此题无解。

这样年纪比较大。

问：

玛莉过生日。"恭喜你，玛莉！你今年几岁？"玛莉的回答非常奇妙。

"坐下来比站起来年轻3岁，倒立则比站立大3岁。"

玛莉到底几岁？

答：6岁。

坐下来是一半，也就是3，所以年轻3岁；6的倒立是9，因此大3岁。

59. 当农夫第 3 次过桥之后，就把身上的钱通通给了恶魔，这表示那时农夫身上刚好有 24 戈比。留意这点并把问题由后向前追溯，就能轻易地得到问题的答案。

事实上，最后一次过桥之后，农夫身边刚好有 24 戈比，由此可见，在第 3 次过桥前，他只有 12 戈比，但这 12 戈比是他给恶魔 24 戈比之后所剩下来的，因此原本应该有 36 戈比。那么，在第 2 次过桥前，农夫身上的钱应该是 18 戈比，而这 18 戈比也是他在第 1 次过桥后给恶魔 24 戈比所剩余的，所以原来应有 18 + 24 = 42（戈比），于是我们可以知道，农夫在第 1 次过桥前身上有 21 戈比。

这表示农夫在与恶魔的交易当中损失了 21 戈比，从这故事里我们得到一个启示：对于他人的建议，不可盲目地接受，而应以自己的智慧来判断才行。

60. 第三个农夫为同伴们各留 4 个马铃薯，总共剩余 8 个马铃薯，可见他自己也吃了 4 个，那么原来锅里剩下 12 个，表示第二个农夫自己吃了 6 个，然后各余 6 个给他的同伴，由此可知，锅里原本剩下 18 个马铃薯，第一个农夫吃了 9 个之后，剩下 18 个给另外 2 名同伴。

于是我们知道，起先锅子里的马铃薯有 27 个，每人平均可吃 9 个，现在，第一个农夫已吃掉 9 个，第二个农夫和第三个农夫先后吃了 6 个与 4 个，因此，剩下来的 8 个马铃薯应分 3 个给第二个农夫，剩下的 5 个全归第三个农夫所有。

61. 这是一个很古老的问题，应该有许多读者觉得很熟悉才对。

按照第一个牧童伊凡的说法，他的羊会比彼得多了多少呢？

假设现在伊凡把 1 只羊送给第三者，那么他和彼得的羊群数目会相等吗？事实上，那只羊要给彼得，两人的羊数才会刚好一样，所以现在即使伊凡给别人 1 只羊，他的羊仍然比彼得多，但是多多少呢？我们都知道，如果伊凡把那只羊给彼得的话，两人的羊数会刚好相等，因此很明显的，两人的羊群数目差距为 1，如果伊凡没有把羊送给任何人的话，他的羊会比彼得多 2 只。

接着，我们以彼得的立场来看，他的羊比伊凡的羊少 2 只，如果彼得分 1 只羊给第三者，那么伊凡就比彼得多 3 只羊了，此刻假如把那只羊给伊凡的话，伊凡的羊就比彼得多 4 只。

根据问题的提示，这时伊凡的羊刚好是彼得的 2 倍，所以，如果彼得送 1 只羊给伊凡的话，他自己就剩下 4 只羊，另一方面，伊凡的羊变成 8 只，于是我们可以推算出现在伊凡有 7 只羊，彼得有 5 只羊。

62. 农妇将她们所带来的苹果混在一起出售时，已经不知不觉的改变了售价。了解这点之后，问题就很容易解决了。

现在我们来看后面那两名农妇的实际情形。

答

223

当第一位农妇和第二位农妇要出售自己的苹果时，第一位农妇打算每个苹果卖 $\frac{1}{2}$ 戈比，第二位农妇则计划每个苹果卖 $\frac{1}{3}$ 戈比，可是当两人把苹果混在一起卖的时候，每 5 个售价 2 戈比，也就是每个苹果卖 $\frac{2}{5}$ 戈比。

换句话说，第一位农妇并没有按照她原先的打算——每个苹果卖 $\frac{1}{2}$ 戈比，而是以 $\frac{2}{5}$ 戈比的价格出售。

在每个损失 $\frac{1}{10}$ 戈比的情况下，第一位农妇在卖完 30 个苹果之后一共损失了 3 戈比。

但是，第二位农妇的情形却刚好相反。当她和第一位农妇联合出售时，她每卖出 1 个苹果就多赚 $\frac{2}{5} - \frac{1}{3} = \frac{6-5}{15} = \frac{1}{15}$（戈比），30 个苹果全数卖出之后，总共多赚了 2 戈比。

最后，第一位农妇损失 3 戈比，第二位农妇多赚 2 戈比，合起来仍然亏损 1 戈比。

以这道理来看前面两名农妇的情况，就很容易找出"为什么会多赚 1 戈比"的原因。

63. 农夫并没有算出真正的分数，实际上，把农夫们所分的比例加起来，$\frac{1}{3} + \frac{1}{4} + \frac{1}{5} + \frac{1}{6} = \frac{57}{60}$，因此他们所分得的总金额少于捡到的金额（因为他们所捡到的金额为 $\frac{60}{60}$），现在把农夫们所捡到的钱和骑士本身的钱合起来除以 60，然后把其中 $\frac{57}{60}$ 分给农夫，$\frac{3}{60}$ 也就是 $\frac{1}{20}$ 则留给骑士自己。我们知

道钱包里的 3 卢布归骑士所有，换言之，3 卢布相当于 $\frac{1}{20}$，

由此可求出总额 $3 \times 20 = 60$（卢布），其中卡普获得 $\frac{1}{4}$，也就是 15 卢布，但如果骑士没加上自己的钱，卡普所获得的钱就会比原先少 25 戈比，变成：

15 卢布 – 25 戈比 = 14 卢布 75 戈比

此即为农夫所捡到总金额的 1/4，由这点我们可以推算农夫所捡到的钱包里总共有 14 卢布 75 戈比 × 4 = 59 卢布。

把这笔钱和骑士所加上的金额合计，总数为 60 卢布，可见骑士所加的金额为 1 卢布，他付出 1 卢布，然后再赚进 3 卢布，很明显的，他在为农夫们分钱的时候，自己也获得 2 卢布的利益。

至于在这钱包里有多少种类的钞票？

由推算可知，钱包里有 10 卢布的钞票 5 张，以及 5 卢布，3 卢布和 1 卢布的钞票各 2 张。骑士分给席多 2 张 10 卢布的钞票，也就是 20 卢布，分给卡普 15 卢布，其中 10 卢布与 5 卢布的钞票各 1 张，第 3 个农夫帕风获得 12 卢布，由 1 张 10 卢布的钞票与 2 张 1 卢布（其中 1 张原本为骑士所有）的钞票所组成，最后 1 名农夫波卡从骑士那里分到 10 卢布的钞票 1 张，把钱平均分给 4 名农夫之后，骑士将剩下的 1 张 3 卢布的钞票连同钱包一起据为己有，然后扬长而去。

64. 这位长老实在聪明极了，首先他把自己的骆驼暂时加进骆驼群里，使骆驼变成 18 头。

这样就能按老人的遗言：

把骆驼给老大　$18 \times \dfrac{1}{2} = 9$（头）

给老二　$18 \times \dfrac{1}{3} = 6$（头）

给老么　$18 \times \dfrac{1}{9} = 2$（头）

然后长老又骑着自己的那只骆驼回家。

因为　$9 + 6 + 2 + 1 = 18$

这问题的关键和前题相似，按老人的遗言，每个儿子所分配的骆驼比例合起来比 1 还小，事实上只有：

$\dfrac{1}{2} + \dfrac{1}{3} + \dfrac{1}{9} = \dfrac{17}{18}$ 而已。

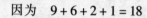

数学的奥妙

问:

多多和冬冬是一对双胞胎。"双胞胎,你们几岁啊?"她们异口同声地回答:"我们之间割开时是 0 岁,有时会变成 3 岁或 4 岁。"她们二人到底几岁?

拾柒

27 解

答

227

答:8 岁

8 横切成 2 个 0,纵切是 2 个 3,分开成两半,各是 4。

65. 要使桶内的水刚好是一半的时候，只须把桶倾斜在使水刚好到达桶口边缘的程度，这时水面必须和桶底的最高点等高（如图130ⓐ）才行。因为桶的上下圆周所相对的点的连线，刚好把木桶分成两半，如果水不及半桶，那么，底的一部分就会露出水面（如图130ⓑ），反过来说，假如桶内的水超过一半，那水面就会高过于底部（如图130ⓒ）。

a)　　　　　　b)　　　　　　c)

图130

根据这想法，该名男子很轻松地完成农夫所交代的工作。

66. 按照图131、132的排法即可。

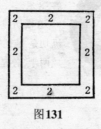 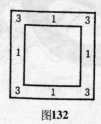

图131　　　　　　　　　图132

67. 仆人先从酒柜的四周中央各偷一瓶酒，然后为了使主人不起疑心，他从四周中央各移动 1 瓶酒到角落那格，让每列的酒算起来仍然是 21 瓶，如此反复偷了 4 次，一共偷了 16 瓶酒都没被糊涂的主人发现（他的方法如图 133 所示）。

第 1 次

7	7	7
7		7
7	7	7

第 2 次

8	5	8
5		5
8	5	8

第 3 次

9	3	9
3		3
9	3	9

第 4 次

10	1	10
1		1
10	1	10

图 133

除此之外，仆人还有其他排放酒瓶的方式，但无论如何，正方形的第一列与第三列都必须维持 21 瓶，所以：

$60 - 2 \times 21 = 18$。

而且，酒柜的第二列还有 2 格必须摆酒，因此仆人顶多只能偷拿 16 瓶酒，否则就会事迹败露。

68. 首先，当地窖里的囚犯剩余 21 人，在每边墙限制为 9 人的条件下，伊凡王子配置士兵和他本身的方法很多，如图 134 便是一例。

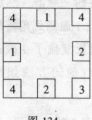
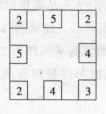

图 134   图 135

后来，须要配置27人的情形，图135便是一例。

69. 第三个孙子找到和爷爷所给的同数蘑菇，才和其他兄弟的蘑菇数量相同，因此我们很容易便能猜出，爷爷给第三个孙子的蘑菇数量是最少的。现在我们假设，爷爷给第三个孙子1个蘑菇。

那么，爷爷给第四个孙子几个蘑菇呢？

第三个孙子第2次找到的蘑菇数量和爷爷所给的相同，所以回家时他有2个蘑菇，第四个孙子和第三个孙子一样，回家时篮子里也有2个蘑菇，但是他在途中不小心掉了一半的蘑菇，于是可推算出原来爷爷给他4个蘑菇。

第一个孙子也带2个蘑菇回家，但其中2个是他自己后来找到的，可见爷爷原本给他（2个－2个）蘑菇，此外，第二个孙子在途中丢了2个蘑菇，回家时发现蘑菇总共为2个，由此可知，爷爷当初给他（2个＋2个）蘑菇。

总而言之，爷爷给孙子的蘑菇分别是1个，4个，（2个－2个），（2个＋2个），总数合计为9个（其中2个少2个和多2个刚好互相抵消），这相等的9个总共有45个蘑菇，于是我们知道每个有蘑菇：

45 ÷ 9 = 5（个）

数学的奥妙

爷爷给第三个孙子1个蘑菇，也就是5个，给第四个孙子4
个，等于：

$5 \times 4 = 20$（个）

第一个孙子从爷爷那里得到的蘑菇比2个还要少2个，也就
是：

$5 \times 2 - 2 = 8$（个）

第二个孙子则得到比2个多2个蘑菇，合计为：

$5 \times 2 + 2 = 12$（个）

70. 这问题显然要找出能被7整除，同时被2、3、4、5
以及6除余1的数。首先能被2、3、4、5、6整除的最小数
（这些数的最小公倍数）为60，接着我们要开始寻找能被7
整除，并且比60的倍数大1的数，按照数字的大小顺序去
找，立刻便能找到答案。例如，60除以7余4，与条件不
合，2×60除以7余1（$2 \times 4 = 8$，$8 - 7 = 1$）

换句话说：$2 \times 60 = 7 \times 17 + 1 = $（7的倍数）$ + 1$

因此：$(7 \times 60 - 2 \times 60) + 1 = 7 \times 43 = $（7的倍数）

相当于：$5 \times 60 + 1 = $（7的倍数）

最后可求出问题的答案，最小为

$5 \times 60 + 1 = 301$

由此我们得知，农妇篮内的鸡蛋最少有301个。

数学的奥妙

问：

老人带着一头山羊、一匹狼和一篓高丽菜，要到邻村去。这时他们来到河边，这儿既没有桥，也没有船，只能带其中一种，由浅滩渡河。可是，山羊和狼一起时，山羊会被狼吃掉，山羊和高丽菜放在一起时，高丽菜会被山羊吃掉。如要平安无事地渡河，请问，应以什么样的顺序进行？

这就是有名的渡河问题。

答：由于山羊怕狼，又会吃高丽菜，所以先由山羊开始解决，问题就简单了。

①先带山羊到对岸，只有老人回来。

②再把狼带到对岸，把山羊带回来。

③把高丽菜带到对岸，老人回来。

④最后把山羊带到对岸。

★ 这种渡河问题，出现的人物越多，玩法越复杂也越有趣。

71. 要解答这个问题，首先必须掌握回家所需要的正确时间。彼得拨紧时钟的发条后，就立刻出发到伊凡家里去。在出门之前把时间记牢，假设那时为 a，一抵达伊凡家之后立刻询问时间，假设为 b，接着在离开伊凡家之前，再看一次时间，把当时设为 c，回家之后立刻确认时间为 d，这么一来，d−a 就表示彼得离家的时间，而 c−b 表示彼得待在伊凡家里的时间，两者之间的差 （d−a）−（c−b）就表示彼得往返的时间，假设来回所花费的时间相等，除以 2 之后：

$$\frac{b+d-a-c}{2}$$

再加上 c，就可知道彼得回家的正确时间为

$$\frac{b+c+d-a}{2}$$

72. 根据问题的条件来看，收入一定在 9997 卢布 28 戈比以下，所以卖出去的布料也必然小于 999728÷4936，也就是不到 202 匹。

不明匹数的最后数字乘以 6 之后，积的最后数字为 8 的情形，有 3 与 8 两种。

假设不明匹数的最后数字为 3，那么，3 匹布料价值 14808 戈比，把此数从收入里扣掉，末三位数应该是 920。

如果匹数的最后 1 个数字为 3，那么，倒数第 2 个数字不是 2 就是 7，因为乘以 6 的时候，积的最后数字为 2 的情形只有这两种。

接下来把不明匹数的末两位数字假设为 23，然后把 23

匹的价钱从收入里面扣掉，末三位数应该为200，由此可见，不明匹数的倒数第三个数字不是2就是7，但是由前面的推算得知，不明匹数最多不会超过202，所以假设与条件不合。

现在我们假定不明匹数的末两位数为73，然后发现不明匹数的倒数第三个数字只有4和9两种情形，这也和上述的条件互相矛盾。

因此，不明匹数的最后数字绝不可能为3，那么，只剩下8一种情形，以同样的方式推算出倒数第二个数字有4和9两种，结果发觉后者才是符合问题所要求的答案。

这问题的答案只有1种，就是所卖出的布料匹数为98匹，而收入是4837卢布28戈比。

73. 由老板的方向来看，从左侧第6个士兵开始数即可。至于第二种情形，也是以同样的方向从右侧第5个士兵开始。

74. 由于马车夫只顾着逞口舌之快，因此没想到自己必须换多少回马，现在我们来替他算算看吧！

以1、2、3、4、5分别代表5匹马，而这5个数字的排列组合，总共有几种情形呢？

我们知道，2个数字的排列方式有（1，2）与（2，1）两种，而1、2、3这3个数字的排列方式、以1为首的情形有两种，同时，以其他数字为首也有同样的情形，于是这3个数字的排列方式有3×2＝6（种）。

实际的排列情形如下：

123，213，312

132，231，321

以此类推，那么 4 个数字的排列方式，以 1 为首的情形就有 6 种，所以，把 4 个数字全部改变排列的方式有 4×6 种（因为固定为首的数有 4 个）。

$4 \times 6 = 4 \times 3 \times 2 \times 1 = 24$

同理，把 5 个数字重新排列，不论以 1、2、3、4 或 5 为首，各有 24 种排列情形，因此，总共有

$5 \times 24 = 5 \times 4 \times 3 \times 2 \times 1 = 120$ 种排列方式

由以上的例子可推论出，n 个数字（1，2，3，…n）的排列总数与 1，2，3，…n 的积相等，一般都以 n 来表示。

现在我们回到正题，前面已经算出马车夫总共要换 120 回马，每 1 回至少需要 1 分钟，因此，全部换好至少需要 2 小时，马车夫这下子必输无疑！

75. 假设 1 位丈夫买了 x 件商品，根据问题的条件，他必须付出 x^2 戈比，同时，假设 1 位妻子买 y 件商品，那么，她必须要付 y^2 戈比，按规定我们可得到如下的方程式：

$x^2 - y^2 = 48$

➡ $(x - y)(x + y) = 48$

由问题可知，x，y 皆为正整数，而且 (x－y) 或 (x＋y) 必须为偶数才能使本式成立，所以：

$x + y > x - y$

现在，我们将 48 分解为因数，能配合问题条件的情形只有下列 3 种：

$48 = 2 \times 24$

$$= 4 \times 12$$
$$= 6 \times 8$$

也就是

$$\begin{cases} X - Y = 2 \\ X + Y = 24 \end{cases} \quad \begin{cases} X - Y = 4 \\ X + Y = 12 \end{cases} \quad \begin{cases} X - Y = 6 \\ X + Y = 8 \end{cases}$$

分解这 3 个联立方程式，我们可以得到 x = 13，y = 11；x = 8，y = 4；x = 7，y = 1 等 3 组答案，其中，伊凡比卡狄莉娜多买了 9 件商品，符合 X − Y = 9 的情形只有 1 种，可见伊凡买了 13 件商品，卡狄莉娜购买了 4 件，同时，彼得比玛丽亚多买 7 件，这情形也只有 1 种，就是彼得多买了 8 件，而玛丽亚只买了 1 件，由此可知这 3 对夫妻的组合是：

$$\begin{cases} 伊凡 \ （13 个） \\ 安娜 \ （11 个） \end{cases} \quad \begin{cases} 彼得 \ （8 个） \\ 卡狄莉娜 \ （4 个） \end{cases}$$

$$\begin{cases} 亚力克 \ （7 个） \\ 玛丽亚 \ （1 个） \end{cases}$$

〔数学漫画〕㉟

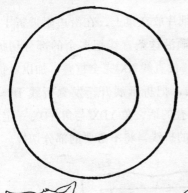

问：
左图是二重圆，试
问，笔不离纸，能一
笔画出这样的图形
吗？

答

237

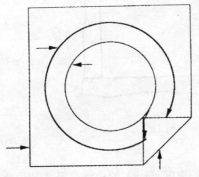

答：首先画出中间的
圆，接着将纸的一角
如图往上折，再画外
面的圆。

七、

76. 将不规则形状的纸片放在桌上，在沿边附近折 1 条折线，假设折线为 XX′，顺沿这条直线把多余的部分切掉，接下来在 XX′上的一点 D，使直线 XX′完全重叠，加以对折，做成顺沿直线 DY 的折线，把折纸展开，发觉折线 DY 与 XX′成直角的折时，XX′重叠的话，角 YDX′与角 YDX 一定相等，和前面一样，顺沿新的折线，将不必要的部分切掉。

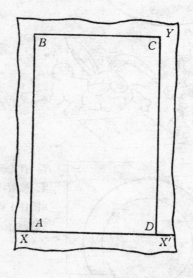

图 136

重复这个方法，可获得 BC 与 BA 的边线，经常加以重叠的话，能使 A.B.C 与 D 的角都相等，而且皆为直角，同时边 BC 与 CD，各和 AD 与 BA 相等，如此得到的纸片 ABCD（如

图 136）的形状为长方形，重叠之后会发现长方形的性质：

①四个角部都是直角。

②四个边未必相等。

③但是长的两边与短的两边各自相等。

77. 做好长方形的纸片 A'BCD'，斜折使短的 1 边，例如
BC 以如图 137 的方式和长的 1 边 BA'重叠。

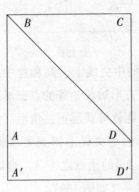

图 137

如此，角 C 会位于 BA'上面的点 A 位置，连接 CD'折线，
使端点成为 D，顺沿直线 AD 折出 A'D'DA 后，做通过 A 与 D 的
折线，将 A'D'DA 的部分切掉，再把纸张展开，所得到的图形
ABCD 就是 1 个正方形，图形的 4 角都为直角，而且每边相等。

78. 做好正方形的纸片后，将相对的 2 边重叠对折（如
图 138），就可得到通过另外 2 边中央的点，和其垂直的折线
在正方形中央线上的任意点，做通过此点以及中央线两侧的
正方形顶点的折线，以这方式可获得以正方形 1 边为底边的
等腰三角形，中央线很明显的将等腰三角形分为 2 个全等的

直角三角形，同时也平分等腰三角形的顶角。

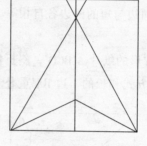

图 138

79. 在正方形的中央线上，画和这中央线直交的边上 2 个顶点的距离与正方形边长相等的点，然后做和那些顶点连接的 2 条折线，如此就可获得正三角形（如图 139）。

想要在正方形的中央线上得到要求的点，是非常容易的，只要固定底边 AC 的顶点之一 A，然后将点 C 重叠在中央线的 B 上折线即可（如图 139）。

240

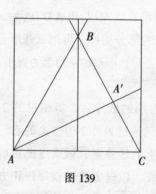

图 139

80. 做正方形对边中点的折线（如图 140），那么，就可做出直线 AOB 与 COD，同时，以折线 AO，OB 为边，以和前面同样的方式，可做出正三角形 AOE，AOH，BOF 与 BOG。

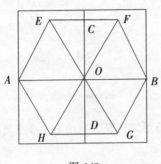

图 140

接下来做折线 EF 与 HG。

各位将可发现多角形 AECFBGDH 即为正六角形，连接此六角形上的 2 点最大的距离，很明显就是 AB。

81. 按照前面的方式折正方形，然后在里面再做 1 个正方形（如图 141），接下来再做大正方形与内接正方形之间的角平分线，将其交点设为 E，F，G，H。

那么所得到的多角形 AEBFCGDH 就是所要求的正八角形，事实上，其中的三角形 ABE，BFC，CGD 与 DHA，皆为全等的等腰三角形，因此，所得到八角形的边全部相等。

同时，多角形 AEBFCGDH 的角相等，事实上互相全等的等腰三角形的底角为直角的 $\frac{1}{4}$，其顶角 E，H，G，F 为直角的 1.5 倍，而且，八角形的顶点 A，B，C 以及 D 的角显然也是直角的 1.5 倍，由此可知，八角形的角全部相等。

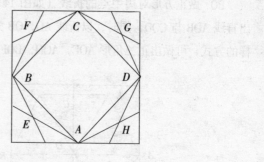

图 141

数学的奥妙

此外，大正方形的边长为八角形上 2 点之间最大的距离。

84. 这问题可利用厚纸来解决（最好是没有图案的方格纸），所须切法与接法，请参照图 142 与图 143，那么马上就

图142

图143

能了解由原来 3 个正方形所组成的 4 个图形都全等。

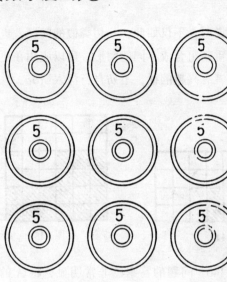

问：
5 元硬币有 9 个，共 45 元。现想把硬币分装进 4 个盒子内，每一个盒子内装的硬币都必须是奇数个，请问该怎么做？

243

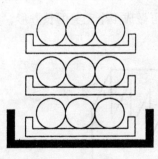

答：每 3 个硬币装进一个盒子内，然后将 3 个盒子全部放入一个大盒子里，就能满足问题的条件。

85.参考图 144 与 145，马上就能了解问题的答案，这问题虽然很简单：

$$4 \times 9 = 6 \times 6$$

但还是须以图形来说明，不仅如此，一切类似的问题，也就是将某图形分割，重新组合成不同的情形，可以应用在更复杂的问题。各位读者有兴趣的话，不妨自行深入研究。

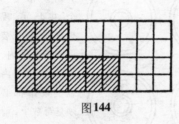

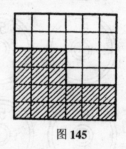

图144   图145

86.请参考图 146，问题的答案已非常明显，将 A 的部分与 B 的部分切离，再将锯齿状的格子往右移动一格，插入 B 的锯齿状格子之间，就可做成 1 个完美的长方形，也能做成正方形。

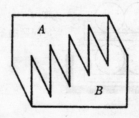

图 146

87. 如图 147 所示。

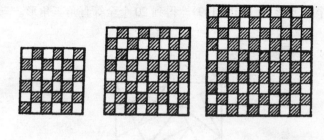

图 147

88. 如图 148 所示。

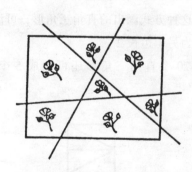

图 148

89. ①将连接正方形各边中点以及对边 1 个端点的 4 条直线，画成互相垂直或平行的形态，②从正方形各边中点开始画和前面所画的直线平行的直线，一直到前面所画的直线相交为止，③在这样所画成的长方形上，再画上对角线，就可得到几个全等的直角三角形，同时在中间所形成小正方形，也能分割为与这些全等的 4 个直角三角形，合起来便知一个正方形可（如图 149），得到 20 个全等直角三角形。

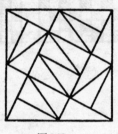

图149

同时，以这种方式画出的直角三角形，可清楚了解直角三角形的 1 边为另 1 边长 2 倍。

此外，这 20 个直角三角形还可做成 5 个全等正方形（如图 150）。

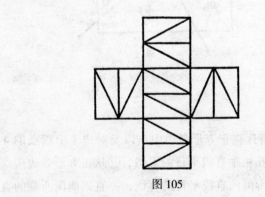

图105

〔数学漫画〕③⑦

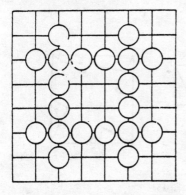

问：
棋盘上如图排列棋子，现请沿线将所有棋子拿掉。但棋子不能跳跃。

这是环中仙所创的"捡棋子"谜题。

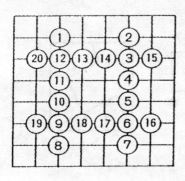

答：如图。

247

90. 如图 151 与图 152 所示，这问题的答案有 2 个，其中后者只须画 2 条直线就可解决问题，可说是既明智又简单的答案。

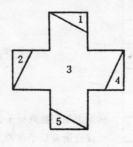
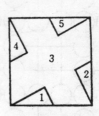

图 151

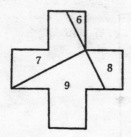
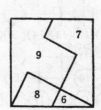

图 152

91. 假定图 153 的 ABCD 就是问题所提示的正方形，在边 DC 上画相当于正方形对角线一半长度的线段 DE，连接 A 与 E，并在直线 AE 上画上垂线 DF 与 BG，接下来在 GB 与 AE 上画上与 DF 相等的线段 GH，GK，FL，如图 153 所示，画通过 K，L 与 H 而对 DF 平行或垂直的直线，顺沿这些直

线，就可将正方形切为 7 个部分，把这部分如图 154 的方式
连接，就可形成 3 个全等的正方形。

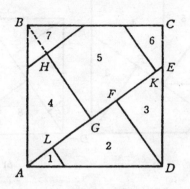

图 153

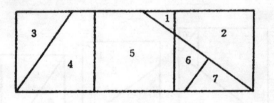

图 154

现在只须提供各位相似的三角形，以及前面问题所证明
的毕氏定理，就能得到

$$3|DF|^2 = |AB|^2$$

有关这数式的数学证明，请各位读者自行做做看。

92. 看图 155 就知道正方形的分法，直线 DF 与 GB，以

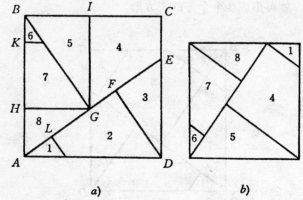

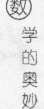

图 155

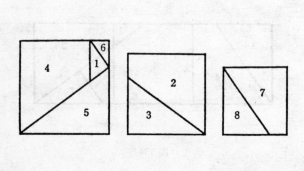

图 156

及点 L 如前面问题那般设定，接下来画上与正方形的边平行的 GH 与 GI，并取一点 K，使

$$HK = GH \qquad （图 155a）$$

以这方式可得 8 个部分，将这些结合起来，可得问题所要求

的 2 个正方形，其中 1 个如图 155b 所示，另 1 个则为图 156 中央的图形。

93. 正方形的分法和前面问题完全相同（如图 155），不过把分开的部分如图 156 结合，可得到 3 个正方形。

可依这答案的图形，以数学的立场来证明，由于此图相当正确，所以很适合用来追究问题的本质。

94. 首先，顺沿对角线把正六角形 2 等分，然后重新组合做成平行四边形 ABFE（如图 157），以点 A 为中心，以 AE 与平行四边形之高的几何平均值为半径画圆，圆会与 BF 交于点 G，接下来由点 E 至 AG 的延长线画垂线 EH，然后从 EH 隔着和 AG 等距离的长度画平行线 IK，于是六角形分为 5 个部分，连接这些部分可做成正方形，有关这问题更详细的部分，让学过基础平面几何学的读者来尝试。

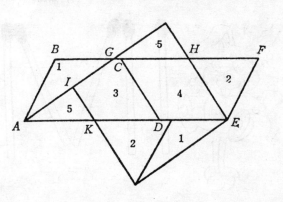

图 157

[数学漫画]㊳

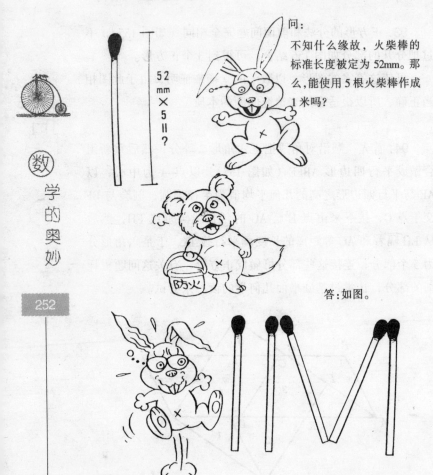

问：

不知什么缘故，火柴棒的标准长度被定为 52mm。那么，能使用 5 根火柴棒作成 1 米吗？

答：如图。

数学的奥妙

252

八、

97. 切正方形所形成的直角三角形是互相全等的，这是显而易见的。同样的，梯形 C 与 D 也是互相全等的，梯形的短底边和直角三角形的最短边都是 3cm，因此，将三角形 A 与梯形 C，以及三角形 B 与梯形 D 组合，必能够一致，这其中的秘密在哪里？看图 158 就能明白

$\tan(\angle EHK) = \dfrac{8}{3}$

$\tan(\angle HGJ) = \dfrac{5}{2}$

$\dfrac{8}{3} - \dfrac{5}{2} = \dfrac{1}{6} > 0$

也就是 $\angle EHK > \angle HGJ$

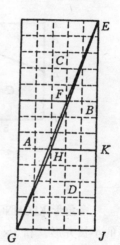

图 158

其实 GHE 不是直线而是折线，同样的，
EFG 也是折线，两者连接所形成的长方形的面积确实为 65cm，可是这个长方形中间有个面积恰好为 1cm^2 的平行四边形缝隙，可以清楚看见这缝隙的横向最大宽度为

$$5 - 3 - 5 \times \dfrac{3}{8} = \dfrac{1}{8} \ (\text{cm})$$

253

因此，这个狡猾的船匠在修理时把这个小小的缝隙掩盖起来，使人乍看之下以为奇迹出现。

同样的可以利用 A，B，C，D 等部分，折成不同的图形（如图 159）。

254

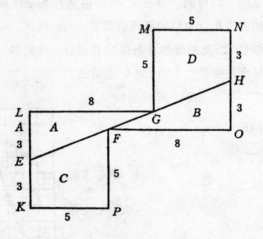

图 159

多角形 KLGMNOFP，看起来好像可以分为 2 个 $5 \times 6 cm^2$ 的小长方形，和 $3 \times 1 cm^2$ 的小长方形，其面积合计为

$$2 \times 30 + 3 = 63 （cm^2）$$

可是，原来 A，B，C，D 等部分合起来的面积应该是 $64 cm^2$ 才对，这魔术的谜底是，点 E，F，G，H 并没有在同一直线上，各位读者必须更详细研究才行。

98. 小直角三角形并没有成为 2 等边，才是问题的症结所在，直角的一边为 $1 cm$，另一边很容易就能算出，为 $\frac{7}{8}$

cm，因此长方形的长并非 9，而是

$$8 + \frac{8}{7} = 9\frac{1}{7} \text{ cm}$$

其面积为

$$7 \times 9\frac{1}{7} = 64 \text{（cm}^2\text{）}$$

并没有矛盾。

99. 仔细观察长方形的对角线如何和方格线相交（见 81 页图 52），就能明白 VRXS 不是正方形，依靠计算也可确认此一事实。

由于三角的 PQR 与 TQX 相似，所以 PR：QR = TX：QX，所以

$$PR = \frac{TX \cdot QR}{QX} = \frac{11 \times 1}{13} = \frac{11}{13}$$

因此，长方形 VRXS 的边长，一边为 12cm，另一边为

$11\frac{1}{13}$cm，其面积为

$$12 \times 11\frac{11}{13} = 142\frac{2}{13} \text{（cm}^2\text{）}$$

而三角形 STU 与三角形 PQR 的面积相等，皆为

$$\frac{1}{2} \times 1 \times \frac{11}{13} = \frac{11}{26} \text{（cm}^2\text{）}$$

所以，81 页图 53 的图形面积为

$$142\frac{2}{13} + 2 \times \frac{11}{26} = 143 \text{（cm}^2\text{）}$$

100. 根据一般常识，答案可能是："当然柑橘周围的缝隙会比地球还大，因为地球一周约为 40000km，1m 的长度

相较之下变得很渺小，所以即使加长 1m 对整体的影响甚小，可是以柑橘的情形来说，由于 1m 的长度和其周围比起来是十分惊人的数值，因此加长 1m，所造成的影响颇巨。"

我们现在以计算来确认这项结论是否正确，假设地球的圆周为 C 米，柑橘的圆周为 C 米，那么地球的半径 $R = \dfrac{C}{2\pi}$，柑橘的半径 $r = \dfrac{c}{2\pi}$，现在将圆周长各增加 1m，地球变成 C + 1，柑橘变成 c + 1，半径各成为 $\dfrac{C+1}{2\pi}$，$\dfrac{c+1}{2\pi}$ 将这新半径扣掉原来的半径，于是

地球的情形：$\dfrac{C+1}{2\pi} - \dfrac{C}{2\pi} = \dfrac{1}{2\pi}$

柑橘的情形：$\dfrac{c+1}{2\pi} - \dfrac{c}{2\pi} = \dfrac{1}{2\pi}$

结果，无论是地球的情形或是柑橘的情形，所产生的缝隙皆为 $\dfrac{1}{2\pi}$ m 约为 16cm。为何会有"如此惊人"的结果？因为不论任何圆，其圆周与半径的比都是固定的。

〔**数学漫画**〕㊴

问：

不愧是数学大师，阿基米
德的墓如图也与众不
同。如将圆柱与球的体积
计算出来，可得到很美的
比例。请试以下列公式求
出。

圆柱底面的直径
与球的直径相
等。且球内接于
圆柱。

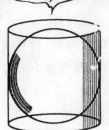

圆柱体积 = πr²h

球体积 = $\frac{4}{3}$πr³

257

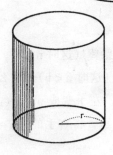

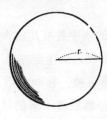

答：由于球内接于
圆柱，h = 2r，因此两
体积比如下：

球：圆柱

= $\frac{4}{3}$πr³：2πr³

= 2：3

九、

101. 当然，这并非"魔术"，而是根据正确的数学计算得来的。

要从5达到9，必须数5，6，7，8，9才行，因此要从9达到5，也得数9，8，7，6，5，只是顺序相反而已，如果指9说"5"，指8说"6"的话，那么要达到所设定的数5，意味着要说出来的数字为"9"，接下来按此方向，将12个数通通数一遍，然后再回到5，因此从所指的数字9，逆时钟方向9+12，数到21时就能得到。

相反地，假定所设定的数为9，指着5的时候，从9至5按照顺时针方向（由小至大依序数下去），9，10，11，12，12+1，12+2，12+3，12+4，12+5数到17，所以，由5出发的时候，以逆时针方向数12+5=17，就能达到所设定的数9。

102. 假定朋友的两手各有几枝火柴棒（这时 $n \geqq b$），你交代他从右手转移 a 枝火柴棒至左手（这时 $a < b$），那么移动之前本来两手各有 n 枝，移动之后，左手变成 $n+a$（$n > a$），右手变成 $n-a$，然后接下来的指示，将右手的（$n-a$）通通转移到左手，于是左手变成

$$(n+a) - (n-a) = 2a$$

最后的情形是，左手有 $2a$ 枝火柴棒，而右手为空的。

103. 2位数的整数可以 $10a+b$ 来表示，这时 $0 < a \leqq 9$，

数学的奥妙

258

$0 \leqq b \leqq 9$，问题所要求的差距为

10a + b − （10b + a）= 9（a − b）

可见此数能被 9 除尽，如果将差数设为 10k + 1（k ≦ 9，l ≦ 9），那么

10k + 1 = 9k +（k + 1）

很明显的，k + 1 = 9，换句话说，差的十位数可从你朋友的透露的数，以 9 扣掉该数求出。

假定所设的数为 37。

73 − 37 = 36

当对方告诉你个位数为 6 之后，你算出 9 − 6 = 3，立刻得到十位数的数字，又假设对方所设的数为 54，54 − 45 = 9，知道个位数为 9 之后，就可算出十余数为 9 − 9 = 0，而知道差数为 9。

104. 商等于你所指定的数字两端的差乘以 11，例如选定的数为 845，那么

845 − 548 = 297

297 ÷ 9 = 33 =（8 − 5）× 11

要证明这项规则，必须留意 3 位整数会变成

100a + 10b + c

的形态，这时 a，b，c 各代表百位，十位以及个位的数字，而且

0 < a ≦ 9，0 ≦ b ≦ 9，0 ≦ c ≦ 9，之后填入的数字为

100c + 10b + a

前者减后者，再除以 9 得到

259

$$\frac{100a + 10b + c - (100c + 10b + a)}{9} = \frac{99 (a-c)}{9}$$

$$= 11 (a-c)$$

105. 由前面问题的答案，我们已经知道 3 位整数与两端数字互换所形成的新数的差数，能够被 99 整除。由此问题来看，两端数字的差为 2 以上，因此 2 数的差必须为 3 位整数，假设为

$100k + 10l + m$ $(0 < k \leqq 9,\ 0 \leqq l \leqq 9,\ 0 \leqq m \leqq 9)$

而此数式又可变为

$100k + 10l + m = 99k + (10l + m + k)$

由于此数为被 99 整除，因此 $10l + m + k = 99$，于是得知 $l = 9$，$m + k = 9$，将此数的两端互换，变成 $100m + 10l + k$，问题最后的和为

$100k + 10l + m + 100m + 10l + k = 100 (k + m) + 20l + (m + k) = 100 \times 9 + 20 \times 9 + 9 = 1089$

106. 假定所设的数为 n，现在对 n 进行如下的计算：

$n \times 2 + 5 = 2n + 5$

$(2n + 5) \times 5 = 10n + 25$

$(10n + 25) + 10 = 10n + 35$

$(10n + 35) \times 10 = 100n + 350$

$(100n + 350) - 350 = 100n$

$100n \div 100 = n$

最后必然会得到原来所设的数 n。

看过这解答之后，相信各位读者会发现这问题的应用范

围极广，例如要使最后的计算结果成为所设的数的 100 倍，在途中乘以 2 与 5，以及 10 即可，但在减的数不是 350，而要设为他数时，必须留意上面问题为何使用 350 的理由，因为此数是加 5 之后乘以 5，等于 25，再加上 10，等于 35，最后又乘以 10，变成 350 所得来的。因此，如果从最后的结果减去其他数而非 350 的话，必然也要随着改变 5 和 10 以外的加数，例如以 4 来代替 5，以 12 来代替 10，显而易见的，如果最后的计算结果所要减去的数设为 320（$4 \times 5 = 20$，$20 + 12 = 32, 32 \times 10 = 320$），所剩余的数会变成原先假设之数的 100 倍，以这方式可将问题变化应用。

同理，将所设的数乘以 2，乘以 5，再乘以 10，很容易了解实际上所乘的数为 100（$2 \times 5 \times 10 = 100$）。

所以这次最后的计算结果就是所设的数的 100 倍，不论以何数为乘数，把其积乘以 100 即可，故乘数维持 2，5，10 的状态，即使改变顺序，先乘 5，乘 10，最后乘以 2 也无妨。

同样的，以他数来取代 2，5，10 也能使积成为 100，例如 5，4，5 和 2，2，25 都行。此时，变更乘数或减数时，当然也必须了解因应其状况最后应减的数也变化。例如，设乘数为 5，4，5，加数为 6 与 9，首先设定 8。

那么，8 乘 5 得到 40，加上 6 等于 46，46 乘以 4 等于 $184 = 160 + 24$，加上 9 等于 $193 = 160 + 33$，再乘以 5 得到 $965 = 800 + 165$，为了求所设的数的 100 倍，在这情形下必须减去 165（$6 \times 4 = 24$，$24 + 9 = 33, 33 \times 5 = 165$）。

假如你想对于回答的数进行验算时，把前面所剩余的数造成所设的数的 100 倍，改变 100 以外的适当的数字，例如选择 2，3，4 的积等于 24（$= 2 \times 3 \times 4$），所加的数则选择 7 与 8。

假定所设的数为 5，乘以 2 等于 10，加 7 变成 17 = 10 + 7，乘以 3，$(10 + 7) \times 3 = 51 = 30 + 21$，加 8 变成 59 = 30 + 29，最后乘以 4 等于 236 = 120 + 116，这时您的朋友告诉你 236 这个答案，你就把 236 减去 116，其差 120 相当于 24 的 5 倍，如此即可猜出设定的数为 5 了。

或者乘数不要设定 3 个，而选择 2 与 5 这 2 个就好，加数不必 2 个，1 个也可以，在这情形下，进行和前面同样的计算，然后将所得的数除以 10，就是所设定的数。

要乘的数也可选择 4 个，5 个或 6 个，而加数也可增至 3 个，4 个或 5 个，按照上述的要领去做，就可以猜出所设定的数。

最后不要加数而选择减数亦可，或者不减不加也成，例如我们使用问题最初的数值，将数字设定为 12，乘以 2 以后变成 24，减去 5，$(24 - 5)$ 乘以 5 变成 120 - 25，减 10 变成 120 - 35，乘以 10 变成 1200 - 350，此即为朋友所回答的数，这时你必须将答案加上 350，而不是减去 350，然后将所得的和 1200 除以 100，结果（12），就是你朋友所设定的数。

总之，读者能随意变化问题的形态。

〔数学漫画〕40

问：

萨摩斯王问毕达哥拉斯："你的弟子有几人？"

毕达哥拉斯回答：

"我的学生 $\frac{1}{2}$ 学数学，$\frac{1}{4}$ 研究自然和长生，$\frac{1}{7}$ 在沉默中修身养性，另外再加 3 个做室女。"

请问，他的弟子总共有几人？

答

弟子数 $X = \dfrac{X}{2} + \dfrac{X}{4} + \dfrac{X}{7} + 3$

$= 28$

263

答：28 人。这是有关分数的计算问题。

★　毕达哥拉斯（前580?～前500?）系以宗教观点来研究数学，因此他所领导的是秘密团体。后来被反对派暗杀身亡。

107. 想要猜对的秘诀似乎很简单，只要看最下一栏的数字即可，例如所设的数在右起第 2 列，第 3 列与第 5 列（或是扇子的第 2 排、第 3 排与第 5 排）都有出现，这时只要将那几行下面的数字加起来得到 22（＝2＋4＋16），那么对方所设定的数即为 22。

如果对方所设定的数为 18，而 18 位于第 2 列与第 5 列，这 2 列下面的数为 2 与 16，两者相加就可得到 18。

那么，这个数字表究竟是根据什么原理做成的呢？

从 1 开始依序乘以 2 的数列，也就是 1，2，4，8，16，32……，不论任何正整数都能够以此数列的数项和求出，这性质非常特殊，例如，27＝16＋8＋2＋1。在表格的第 1 列里写着 2^0，2^1，2^2，2^3，2^4，也就是 1，2，4，8，16，将这些数字适当地加起来，可得 1 至 31（＝2^5－1）中一切的整数，将这些数在表的固定的列中固定下来（看最下一行）。将 2 的累乘数列利用前述的性质，把 1～31 的整数写在纵栏里，将一整数分解为 2 的幂级数和，在出现各幂次的列中记下该数。例如，27，就记在最下一栏为 1，2，8，16 的各列中。如此，当我们要猜测设定的数时，就知道要将最下面的数加起来，例如 2 幂级数的性质，可应用在表示数字方面，对于各数将 0 或 1 的行列如此记下，在右起的第 1 个位置，看该数是否涵盖从右起第 1 列，写下 1 或 0，以第 2 个位置，看看此数是否涵盖第 2 列，然后写下 1 或 0，以此类推……，例如 27，可按此法记为 11011，而 12 则可记为 01100，左端的 0 不必写上去，于是 12 就可表示为 1100。

这种表记数字的方式称为 2 进位表记法。

以这方式来记，根本不须看表，只要将整数表现为 2 累

乘的形态，将其所出现的号码（从 0 开始由右向左数）的位置记下 1，其他位置则记 0，例如

数	2 进位表记
$2 = 2^1$	10
$3 = 2^1 + 2^0$	11
$5 = 2^2 + 2^0$	101
$19 = 2^4 + 2^1 + 2^0$	10011
$134 = 2^7 + 2^2 + 2^1$	10000110

2 进位法多半应用于计算机表示数字时，不论须表记任何数字，只要使用 1 与 0 即可。而一般使用的十进位法则须使用 0，1，2，3，……8，9 等 10 个数字。

108. 假设所设定的偶数为 2n，按指示的顺序进行计算。

$$2n \times 3 = 6n \qquad\qquad 6n \div 2 = 3n$$

$$3n \times 3 = 9n \qquad\qquad 9n \div 9 = n$$

将最后得到的商数乘以 2，就可获得设定的数为 2n，现在我们来探讨寻找一般数的规则，假定的数为偶数的情形，我们刚刚已经探讨过了，现在来看看奇数（设为 2n + 1）的情形，最初的计算为

$$(2n + 1) \times 3 = 6n + 3$$

由于此数无法被 2 整除，所以加上 1，于是 6n + 3 + 1 = 6n + 4，除以 2 变成 3n + 2，接着 $(3n + 2) \times 3 = 9n + 6$。

9n + 6 除以 9，商为 n（此时，余数为 6），把商乘以 2 再加上 1，就可获得所设定的数 2n + 1。

109. 任何整数都能够以 4n，4n + 1，4n + 2，4n + 3 其中

之一的形态来表示，但文字 n 是 0，1，2，3，4 等值的意思。

①首先选择 4n 的形态，来进行问题所提示的计算，于是

$$4n \times 3 = 12n \qquad 12n \div 2 = 6n, \qquad 6n \times 3 = 18n$$
$$18n \div 2 = 9n \qquad 9n \div 9 = n, \qquad 4 \times n = 4n$$

②以 4n + 1 的形态来计算的话，则会有如下的情形：

$$(4n + 1) \times 3 = 12n + 3, \qquad (12n + 3 + 1) \div 2 = 6n + 2$$
$$(6n + 2) \times 3 = 18n + 6 \qquad (18n + 6) \div 2 = 9n + 3$$

9n + 3 除以 9 得到商为 n，按规则可获得 4n + 1

③以 4n + 2 的形态来计算，情形变为：

$$(4n + 2) \times 3 = 12n + 6 \qquad (12n + 6) \div 2 = 6n + 3$$
$$(6n + 3) \times 3 = 18n + 9 \qquad (18n + 9 + 1) \div 2 = 9n + 5$$

9n + 5 除以 9 得商为 n，将 n 乘以 4，再加上 2（不能被 2 整除的只有第 2 回）；就可获得所设定的数 4n + 2。

④至于 4n + 3 的形态，则为

$$(4n + 3) \times 3 = 12n + 9 \qquad (12n + 9 + 1) \div 2 = 6n + 5$$
$$(6n + 5) \times 3 = 18n + 15 \qquad (18n + 15 + 1) \div 2 = 9n + 8$$

9n + 8 除以 9 得商为 n，按规则求出所设定的数为 4n + 3。

应用这规则，任何设定的数都能求出。

111. 根据问题 109 的答案，就能了解对于 4n 形态的数，计算的最终结果就是 9n，也就是 9 的倍数，因此，9n 与数字的各位数字和必须能被 9 整除才行。意味着要猜的数

和其他知道的数字相加，必须成为9的倍数，所以，假如知道的数字为9的倍数，那么，所要猜的数也应该是9的倍数才对。同时，一开始就知道不能使用0。

而 $4n+1$ 形态的数，最终的计算结果就是 $9n+3$，加6之后就变成9的倍数，同时其各位的数字和也为9的倍数。

至于 $4n+2$ 的情形，最终的计算结果为 $9n+5$，加4以后就变成9的倍数，同时，其各位数字的和也应该为9的倍数。

最后是 $4n+3$ 的形态，其最终的计算结果为 $9n+8$，加1之后就变成9的倍数，同时，其各位的数字和亦为9的倍数。

由此可知，这问题所提示的规则是相当正确的。

112. 对某数 n 进行一连串的运算，其结果为

$$n\frac{abc\cdots}{ghk\cdots}$$

而对方的 p 数也进行同样的计算，得到

$$p\frac{abc\cdots}{ghk\cdots}$$

的结果，将前者的结果除以 n，后者的结果除以 p，就能得到相同的结果

$$\frac{abc\cdots}{ghk\cdots},$$ 所以将 $\frac{abc\cdots}{ghk\cdots}$ 的数，以及 $\frac{abc\cdots}{ghk\cdots}+n$ 的和由后者减掉前者，就可获得 n。

同样的，这类的问题也可以加变化，因为第一，乘数与除数可自由选择，第二，乘除的顺序不拘，可连乘几回之后，再连除几回，也可以反过来，先除几回之后，再连乘几

回，假如最后的结果比设定的数还大的话，不用加而用减的方式亦可，除此之外，还有其他的变化方式。

〔数学漫画〕④

问：

房间内四个
角落各有 1
只狗，每只狗
前面又有 3
只，每只尾巴
上还有 1 只。
请问，全部共
有几只？

拾柒

解

答

答：4只。

113. I. 假定所设的数为 a，b，c，d，e，求出和为 a+b，b+c，c+d，d+e，e+a，对方会告诉你将奇数位置的数字相加的结果为 a+b+c+d+e+a，以及偶数位置相加的和为 b+c+d+e。

前者减后者的差为 2a，此数的一半就是所设的第 1 个数 a，把 a+b 减 a，就得到 b，以同样的方式可依序求出 c，d，e。

II. 假定所设的数为 a，b，c，d，e，f，对方告诉你 a+b，b+c，c+d，d+e，e+f，f+b 的和，把奇数位置的和加起来，不过，第 1 个数字除外，得到的结果为 c+d+e+f，另一方面再把偶数位置的和加起来，得 b+c+d+e+f+b，后者减去前者，得到 2b，此数的一半即为所设定的数字 b，b 一求出，其他的数也就容易求出了。

这问题还有其他的解决方式，在此列举如下一种。

假定设定的数有奇数个，把所有知道的和加起来，将最后的结果除以 2，就可得到一切设定的数字和，假如所设的数有偶数个，那么，把所知道的和通通加起来，除了第 1 个数字以外，然后把结果除以 2，就得到除了第 1 个数以外，其他设定的数字和。了解设定的数字和之后，要求出各数就很容易了。例如所设定的数为 2，3，4，5，6，在知道第 2 数的和为 5，7，9，11，8，的情形下，把和通通加起来得到 40，除以 2 变成（20），此即为所有设定的数字和。

所设定的第 2 个与第 3 个数和为 7，第 4 个与第 5 个和为 11，因此 20 -（7+11）=2，此即为第 1 个设定的数，以同样的方式可求出其他的数。

所设的数有偶数个的时候，也可以同样的方式求出其中

1 数。

也可以如下的方式求出，假设对方设定的数有 3 个，如前述，让对方告诉你每 2 个数字的和，但如果所设的数有 4 个，就请他告诉你每 3 个数字的和，如果设定的数有 5 个，就请他说出每 4 个数字的和，换句话说，就是让对方告诉你比设定的数字个数少 1 个的数字和，同时，要猜出设定的数字，必须遵守如下的规则。

把你所知道的和通通加起来，然后把结果除以比设定的数字个数还要少 1 的数，其商就是所设定的数字和，如此，就能轻易求出每个设定的数了，例如所设定的数为 3，5，6，8，那么，每 3 个的数字和为

$$3 + 5 + 6 = 14$$
$$5 + 6 + 8 = 19$$
$$6 + 8 + 3 = 17$$
$$8 + 3 + 5 = 16$$

其和通通加起来的结果为 66，把这结果除以 3（比设定的数字个数少 1），求出 22，此即为所有设定的数字和，然后把 22 减 14，求出最后的数 8，或者减 19，求出第一个数 3，其他的数也可以同样的方式一一求出，了解这原理之后，很容易就能加以证明。

假如所设的数有偶数个的时候，把每 2 个数相加，最后 1 个和并不是由最后设定的数加上最初设定的数，而是由最后 1 个设定的数加上第 2 个设定的数才对，为什么要这么做？各位读者自己研究看看。

114. 假设所设定的数为 n，进行计算之后，可以

$$\frac{na+b}{c}$$

的形态来表示，而这数式又变化为 $\frac{na}{c} + \frac{b}{c}$，将此数减去 n

$\frac{a}{c}$，很明显所剩余的数为 $\frac{b}{c}$。

115. 任何数乘以 2 之后其积必为偶数，因此 2 人之积的和要看另 1 个积为偶数或奇数，才能决定是偶数，还是奇数，但是被乘数为奇数的话，其积就不一定了，如果另 1 个乘数为偶数，那么积就为偶数，如果为奇数，积就是奇数，依靠 2 人之积的和来判断被乘数到底为偶数还是奇数。

116. A 与 B 除了 1 以外没有其他的公因数，而不同的 2 数 a 与 c 也是彼此互质，同时 A 能被 a 整除，进行问题的计算之后，可获得 Ac + Ba 与 Aa + Bc 的和，很明显的，第 1 个和能被 a 整除，而第 2 个和就没办法被 a 整除，因此，究竟 B 有否 a 的因数，须视对方进行乘法运算之后，把结果加起来的和能否被 a 除尽来决定。

117. 假定所设定的数为 a，b，c，d······将这些数进行如下的运算。

首先从 2 个数开始：

(2a + 5) × 5 = 10a + 25

10a + 25 + 10 = 10a + 35

10a + 35 + b = 10a + b + 35

然后加入第 3 个数

$$（10a + b + 35）× 10 + c = 100a + 10b + c + 350$$

再加入第 4 个数

$$（100a + 10b + c + 350）× 10 + d = 1000a + 100b + 10c + d + 3500$$

以此类推——

　　显而易见的，配合所设定的个数，将计算结果扣掉 35，350，3500……之后，所剩余的每一位数由左至右各表示所设定的数。

答

问:

0 的计算表面看起来很简单,实际上并不容易。请试着做做看下列各题。

A   0×9 = ——

B   8×0 = ——

C   0×0 = ——

D   0÷7 = ?

E   5÷0 = ?

F   0÷0 = ?

0 乘各个数字都是 0……吗? 又,0 能被除尽吗?

答:A = 0、B = 0、C = 0、D = 0、E = 不能成立,F = 不一定。

D   假设 0÷7 = X,7×X = 0,X = 0。

E   假设 5÷0 = X,0×X = 5,但 0 乘任何数皆为 0,所以这数式不能成立。

F   假设 0÷0 = X,0×X = 0,所以 X 可以为任何数,答案是"不一定"。

118. $1 = \sqrt[5]{\dfrac{5}{5}} = 5^{5-5}$

119. $2 = \dfrac{5+5}{5}$

120. $4 = 5 - \dfrac{5}{5}$

121. $5 = 5 + 5 - 5 = 5 \times \dfrac{5}{5}$

122. $0 = 5 \times (5-5) = \dfrac{5-5}{5} = \sqrt[5]{5-5} = (5-5)^5$

123. 这问题比以前复杂许多，现在我们来解答。

$$31 = 3^3 + 3 + \dfrac{3}{3}, \quad 31 = 33 - 3 + \dfrac{3}{3}, \quad 31 = 33 - \dfrac{3+3}{3}$$

124. $100 = 5 \times (-2 + 4) \times (1 + 2 + 7)$

125. 想要在这场游戏中获胜，各位只须说出 89 就赢了。因为先说出 89，对方无论说任何数（在 10 以下），加上 89 之后，其和与 100 的差数为 10 以下，这时轮到你说出差数，就赢得了这场游戏。

但是要说出"89"的秘诀是什么呢？

首先将 100 连续扣 11，得到 89，78，67，56，45，34，23，12，1 的数列，由小至大排列如下

1，12，23，34，45，56，67，78，89

这是很容易背下来的，只要按照如下的方式去做，首先限界的数为 10，加 1 就是 11，此数乘以 2，3，4，……8，得到 11，22，33，44，55，66，77，88，把这些数加 1，然后由 1 开始数看看，就能得到上面的数列。

于是，你会发现当你说出 1，对方无论说出任何数（10 以下），都无法阻止你说出 12 的和，同理，也无法阻止你说出 23，34，45，56，67，78 以及 89。

而你只要说出"89"，不论对方说任何数（10 以下），你都能轻易地说出"100"，那你就赢了。

由以上的情形，假如 2 个比赛者都知道这个要诀，那么这场游戏的胜负，就视谁先说出"1"了，换句话说，先喊的人先赢。

126. 充分了解前面问题的答案，可应用在任何的情形里。

例如所设定的数为 120，每次所喊出的最大数和前题一样为 10，这时必须先了解 109，98，87，76，65，54，43，32，21，10 的数列，换言之，背下由 10 开始的 11 的倍数加上 10 的数列即可，在这情形下，也是先喊的人先赢。

如果所设定的数为 100 不变，但是每次喊出的最大数不是 10 而是 8，在这情形下，所要记忆的数列变成 91，82，73，64，55，46，37，28，19，10，1，也就是由 1 开始的一切 9 的倍数加 1 的数列，了解问题的性质之后，不论游戏的

方式如何变化，你都稳操胜券。

但是，如果每回喊的最大数为 9 时，记忆的数列变成 90，80，70，60，50，40，30，20，10，在这情形下，知道秘诀的对手，先喊数的话，他就输定了，因为先说出任何数字的人，就无法阻止对方喊出 10，20，……后者会最先喊到 100。

127. 将火柴棒按顺序移动即可，例如把 4 移到 1 上面，7 移到 3，5 移到 9，6 移到 2，8 移到 10，或者 7 移到 10 上面，4 移到 8，6 移到 2，1 移到 3，5 移到 9。

128. 假定将排成 1 列的火柴棒以 1，2，3……，15 的号码来表示，那么，问题如下移动 12 回之后就能解决了。2 移到 6，1 移到 6，8 移到 12，7 移到 12，9 移到 5，10 移到 5，4 在 5 和 6 之间，3 在 5 与 6 之间，11 也移至 5 与 6 之间，13 在 11 之处，14 移至 11 之处，15 亦然。

129. 为表示圆板正确的移动过程，由小至大依序将圆板设为 1，2，3，……7，8，移动的过程请参考下页的表格。

由此可知。当补助棒空时，能套进的只有奇数号码（1号，3 号，5 号等等）的圆板而已，当 B 棒空时，能套进的只有偶数号码的圆板，所以，要移动上面 4 块圆板，必须把上面的 3 块移至补助棒，由表可知，要进行 7 回这般的移动工作才行，然后把 4 号的圆板移到 B 棒，因此移动的次数已增加 1 回，最后，将 1～3 号的圆板由补助棒移到 B 棒的 4

号圆板上面（此刻，A 棒担任补助棒的任务）这也是须 7 回才能移动完毕。

一般说来，在这条件下按照大小顺序将圆板移到圆柱上，首先要将 $n-1$ 的圆板移到 1 个空的地方，然后将 $n-1$ 的圆板全部移到圆柱上面。

	A 棒	补助棒	B 棒
移动前	1,2,3,4,5,6,7,8	—	—
第 1 次移动之后的情形	2,3,4,5,6,7,8	1	—
第 2 次移动之后的情形	3,4,5,6,7,8	1	2
第 3 次移动之后的情形	3,4,5,6,7,8	—	1,2
第 4 次移动之后的情形	4,5,6,7,8	3	1,2
第 5 次移动之后的情形	1,4,5,6,7,8	3	2
第 6 次移动之后的情形	1,4,5,6,7,8	2,3	—
第 7 次移动之后的情形	4,5,6,7,8	1,2,3	—
第 8 次移动之后的情形	5,6,7,8	1,2,3	4
第 9 次移动之后的情形	5,6,7,8	2,3	1,4
第 10 次移动之后的情形	2,5,6,7,8	3	1,4
第 11 次移动之后的情形	1,2,5,6,7,8	3,	4
第 12 次移动之后的情形	1,2,5,6,7,8	—	3,4
第 13 次移动之后的情形	2,5,6,7,8	1	3,4
第 14 次移动之后的情形	5,6,7,8	1	2,3,4
第 15 次移动之后的情形	5,6,7,8	—	1,2,3,4

移到全体圆板所需要的次数，在 II 的罗马数字上加上各阶段的圆板张数来表示，可获得的关系如下：

$$\text{II}_n = 2\,\text{II}_{n-1} + 1$$

n 值为 1 的时候，依序加以代入即可得到。

$$\text{II}_n = 2^{n-1} + 2^{n-2} + \cdots\cdots + 2^3 + 2^2 + 2^1 + 2^0$$

此等比数列的和为

$$\text{II}_n = 2^n - 1$$

因此，由 8 张圆板所形成的玩具金字塔，必须移动 2^8-1 次的圆板，也就是 255 回才能达成问题的要求。

假设每移动 1 回需要 1 秒的时间，要把 8 张圆板所形成的金字塔，全部移到另 1 棒上，要费 4 分钟，如果要把 64 个圆盘所形成的金字塔通通移完，则需 18446744073709551615 秒相当于 50 亿世纪。

130. 这问题的答案与 2 进位法有关，现在把 12、10 以及 7 以 2 进位法来表示。

12 ~ 1100

10 ~ 1010

7 ~ 111

于是得到 3 个 2 进位的各位数字纵列，除了最右边（最下面）的位数以外，任何位数各有 2 个 1，A 先做各位数没有 2 个 1 或者没有 1：

12 ~ 1100

10 ~ 1010

6 ~ 110

接着轮到 B 想破坏此一性质，故 A 又回复原来的情形。继续这项游戏，每次轮到 A，就把 B 所破坏的数字关系回复原状，使各纵列都有偶数个 1。

3个正整数的组合都以2进位法表示的时候，任何纵列都会有偶数个1，将其称为正规组，否则称为非正规组。

正规组往往被破坏为非正规组，同时，任何非正规组也必然回复为正规组的情形一目了然，因此，当同一位有奇数个1的时候，选择最左（最上位）和其位有1的数目，使其数变小回复为正规组即可，必须了解的是，这经常能够做到。

当数组为非正规组的时候，先玩的人必然能赢得这场比赛，由于如此，他只须在轮到自己时做正规组即可，同时本来的组为正规组时（例如12、10、6以及13、11、6），此时，先玩的人一定输。在此时只能期待对方走错一步，把正规组变成非正规组，否则你是输定了，掌握领导权的人最后必能获胜。

火柴棒的堆数如果在4个或5个以上，不论任何情形，轮到你的时候，使任何位数的1都变成偶数个，那你就赢了。

问:

阿基米德为点、线、面下定义,发表了5个定理和假设。现请将适当数字填入下列□内。

定理1　与□物全等的□物必然全等。

定理4　相互叠合的□物为全等。

假设5　□直线与一直线相交,如同侧内角和小于2直角时,将此□直线延长,必然于比直角小的线那侧相交。

281

答:定理1　　1、2
　　定理4　　2
　　假设5　　2、2

十一、

132. 开启问题之钥，是在骨牌覆盖时，把这 13 张牌如图 160 所示的顺序排列。

这个骨牌的排列，很明显的，就是 0 至 12 的自然数之列：

图 160

12、11、10、9、8、7、6、5、4、3、2、1、0 其点数由左至右依序减小，在此列由右侧加上 12 张牌，随意排列，然后你就到隔壁的房间去，假如对方将右侧的牌移动几张（12 张以下）到左侧，假定从（6，6）排下去，你回来时掀开到中央的牌（也就是左起第 13 张牌），其点数就表示你离开后所移动的骨牌张数。

这理由并不难理解，当你到隔壁房间时，就知道骨牌的中央点数为（0，0），在你不在的时候，由右往左移 1 张的话，中央的骨牌点数就变成（0，1），假如移动 2 张，中央的骨牌点数就变成 2 点，移动 3 张，就变成 3 点，反正骨牌移动几张，中央的骨牌点数就会有几点，于是中央的骨牌会告诉你移动的张数（但是必须注意的是，移动的张数一定要在 12 张以下）。

数学的奥妙

这游戏可以再继续下去，你再到隔壁的房间，让对方再由右到左移到骨牌，你一回来又掀开另1张骨牌，不过这次并不是掀开中央那张，而是中央靠右的牌，为找到那张牌，按前次所移动的张数，掀开中央靠右的牌即可。

133. 全部骨牌的点数总和为168，这是将28张的骨牌逐一取出，把上面的点数加起来，就可确认的事实。但是以这方式实在太麻烦，而且无聊乏味，现在我们以其他的方式算算看。

假定骨牌有2副，合计共为56张，每2张1组，形成28组，条件是第1张上格的点数和第2张上格的点数和为6，同时下格的点数和亦为6，例如（3，5）与（3，1），（6，4）与（0，2），（0，6）与（6，0），（3，3）与（3，3），很明显的每组的点数皆为12点，因此2副骨牌的点数总和为 $28 \times 12 = 336$，除以2等于168即为1副骨牌的点数总和。

136. 假定已做好这样的正方形，中央并有3条与底边平行，将两侧的边分为4等分的直线，根据问题的条件，这些直线至少要和1张骨牌相交，可是每条直线的上方都有偶数个相当于骨牌面积一半的小正方形（各为4个、8个以及12个），所以每条直线各横切偶数张牌，也就是和2张以上的牌相交，3条直线一共横切6张以上的骨牌，以同样的方式，现在有3条与两侧平行的直线，那么，此3条直线也横切6张以上的骨牌，虽然每1张牌都被2条直线横切，但是这么一来，正方形至少必须有12张骨牌，这与问题的条件不合，所以，8张骨牌无法做出如问题所要求的正方形。

137. 也没办法做出正方形。为了证实这点，以和前面的问题同样的方式，但这次所要画的平行线为 5 条。

138. 要做这样的长方形是可能的，图 161 即为一例。

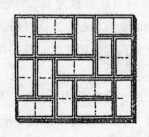

图 161

[数学漫画]㊹

（10数法）（2进法）

1 …… 1
2 …… 10
3 …… 11
4 …… 100
5 …… 101
6 …… 110
7 …… 111
8 …… 1000
9 …… 1001
10 …… 1010
11 …… ?
12 …… ?
13 …… ?
14 …… ?
15 …… ?
16 …… ?

问：

电脑是采2进法，与10进法对应时，由1至10时的对应情形列表如左。请把11至16以2进法表示出来。

二进法是伟大的创造！

答：如图

11 = 1011
12 = 1100
13 = 1101
14 = 1110
15 = 1111
16 = 10000

★ 2进法之所以适用于电脑，是因电脑回路的 ON 状态和 OFF 状态，设定为 1 和 0，正是表示 2 进法的一种对应方式。

拾柒

解

答

285

十二、

139. 按下列由上往下，再由左而右的顺序，移动 24 回即可。

6 移至 5 　2 移至 4 　4 移至 6

4 移至 6 　1 移至 2 　2 移至 4

3 移至 4 　3 移至 1 　3 移至 2

5 移至 3 　5 移至 3 　5 移至 3

7 移至 5 　7 移至 5 　7 移至 5

8 移至 7 　9 移至 7 　6 移至 7

6 移至 8 　8 移至 9 　4 移至 6

4 移至 6 　6 移至 8 　5 移至 4

140. 最初的配置如图 162。

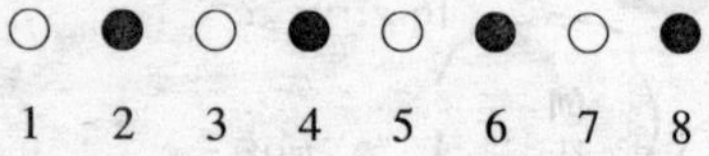

○ ● ○ ● ○ ● ○ ●
1　2　3　4　5　6　7　8

图 162

第 1 回的移动是把 6 与 7 移至左侧的空格，可得如图 163 的配置。

6　7　1　2　3　4　5　　8

图 163

第 2 回的移动，是把 3 与 4 移动现有的空格当中，如图

数
学
的
奥
妙

164 所示。

6 7 1 2 　 5 3 4 8

图 164

第 3 回的移动，是把 7 与 1 移至刚才 3 与 4 的位置，如图 165 所示。

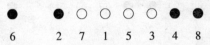

6 　 2 7 1 5 3 4 8

图 165

第 4 回的移动是把 4 与 8 移至最后的空格当中，于是完成了问题所要求的配置方式，使 4 个黑棋接着 4 个白棋并列在一起（如图 166）。

6 4 8 2 7 1 5 3

图 166

由最后围棋的配置，可以做 4 回的移动，回复成原来的情形，如这般相反的问题就很困难了。

141. 最初的配置如图 167 所示，同时，图 55 表示其后的移动方式。

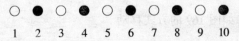

1 2 3 4 5 6 7 8 9 10

图 167

●	○	○	●	○	●	○	●	○		●
8	9	1	2	3	4	5	6	7		10

●	○	○	●		○	●	○	○	●	●
8	9	1	2		5	6	7	3	4	10

●	○	○	●	●	○	○		○	●	●
8	9	1	2	6	7	5		3	4	10

●		●	●	○	○	○	○	○	●	●
8		2	6	7	5	9	1	3	4	10

●	●	●	●	●	○	○	○	○	○
8	4	10	2	6	7	5	9	1	3

图 168

①把 8 与 9 移到左边的空格。

②把 3 与 4 移到现在空的地方。

③把 6 与 7 移到现在空的地方。

④把 9 与 1 移到现在空的地方。

⑤把 4 与 10 移到现在空的地方。

142. 如图 169 的方式移动。

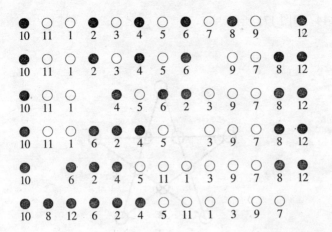

图 169

143. 刚开始移动 6 回的方式如图 170，最后的 7 次移动比较简单，各位一定能够做得到。

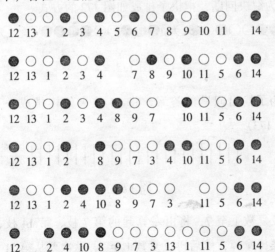

图 170

144. 如图 171 所示。

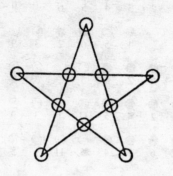

图 171

145. 为解决问题，把棋子排成如图 172 的方式。

图 172

为了找出问题的答案，将 24 枝火柴棒排成一列看看（如图 173）。

图 173

反复数 1 至 7，将由左算起的第 7 枝、第 14 枝、第 21 枝火柴棒拿掉，然后再反复数 1 至 7，这次要从第 21 枝后面的 3 枝火柴棒开始数，然后再从头数起，现在这一列只剩下 21 枝，从这列开始起跳的第 4 枝、第 12 枝、第 20 枝火柴棒又被取走，反复进行下去，依序再取走第 5 枝、第 15 枝以及第 24 枝火柴棒，然后是第 10 枝与第 22 枝，最后再取走第 9 枝火柴棒，这时所剩余的 12 枝火柴棒，在其位置上面排上黑棋，然后再取走火柴棒，现在变空的位置排上白棋，就可获得问题所要求的配置（如图 172）。

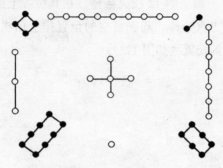

数
学
的
奥
妙

中间先填5。

	5	

6	7	2
1	5	9
8	3	4

问:

左上图是古代中国刻在龟背上的矩阵原型。所谓矩阵,纵、横、斜任何一列的和必均为15。现请将1至9的数字填入,完成左表的矩阵图。

答:如图。

★ 自古矩阵即被视为神秘的数列,常刻在铜板上,作为护身符随身携带。但是,自从知道矩阵的作法后,其神力即随之消失。据说有人作成16格880种的矩阵。

十三、

146. 答案表示在图 174。

图 174

147. 骑士要将所有的空格绕 1 圈，必须移动 63 回，要注意的是，骑士每移动 1 回，该格的颜色就会改变，因此做完 63 回的移动之后，意味着骑士会到达和出发点颜色不同的格子，可是问题的条件又必须回到出发点，因此互相矛盾，表示骑士无法如问题所要求般绕空格 1 圈。

在盘上有几个奇数个其他棋子时，其想法完全相同，可解释为与这同样的方式。

148. 假定按照问题的条件，骑士有绕 1 周的方法，在 62 个格子做如下的号码，在出发点的格子里编号 1，其他则按骑士移动的顺序为 2，3……62，如前述，骑士每移动 1 回格的颜色就会改变，那么，编号为奇数的格子所代表的颜色应该相同，偶数号码的格子则为另一种颜色，所以盘上的空格，应该有 31 个黑的，31 个白的，但是，士兵所放置的位置是 2 个颜色相同的格子，又与问题矛盾，因此，这问题是没有答案的。

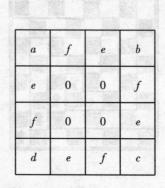

a	f	e	b
e	0	0	f
f	0	0	e
d	e	f	c

图 175

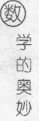

149. 如图 175 所示，在 16 个格子里填上字母 a、b、c、d、e、f 以及数字 0，假定按照骑士所通过的格子顺序排成 1 列，可获得 16 个记号所形成的锁链，骑士要从某一字母的格子移到另一个字母的格子时，必然会通过 0 的格子，所以在这字母的锁链中，每 2 个不同的字母之间必然有 0 的存在，接下来将相同字母并列的部分以 1 个字母来表现，那么，这条锁链至少要有 6 个字母，同时这些字母都被 0 隔开，但是 0 只有 4 个，显然不够隔开 6 个字母，由此矛盾可说明此题无解。

150. 独角仙无论如何前进，经常会有空格出现，首先

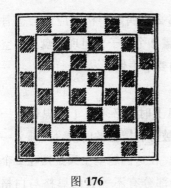

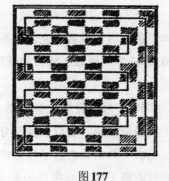

图 176　　　　　　　　图 177

将黑格的独角仙称为黑独角仙，其他则称为白独角仙，那
么，当每只独角仙都移到隔壁时，表示黑独角仙都到白格里
了，但是，黑独角仙有 13 只，而白格却只有 12 格，所以必
然会有 1 个白格，至少有 2 只独角仙相遇，这时，有个格子
会变空（因为格子数和独角仙的数目相等）。

格子数为奇数的正方形棋盘，答案必然如此，可以前述
的想法加以证实。

151. 可将独角仙各移动到隔壁的格子里，将西洋棋盘
分解为方形轮看看（如图 176），将独角仙以顺时针的方向，
顺沿方形轮移至隔壁的格子，显而易见的，每个格子都会被
独角仙填满。

152. 图 177 表示通过一切格子的封闭曲线，独角仙顺
沿此线，朝 1 个方向前进，可按问题所提示的条件，绕棋盘
1 周。

153. 假定能如此做到，那么，偶数个格子应该会被骨牌遮盖，因为骨牌可完美地覆盖 2 个格子，但现在盘上的空格为 63 个，所以无法按问题的要求去做。

154. 每张骨牌放置在棋盘上时，必须有 1 个黑格与一个白格被覆盖，所以棋盘部分被骨牌覆盖的时候，其部分一定是由等数的黑白格子所形成，在这问题里士兵是摆在 2 个同色的格子里，而棋盘的剩余部分有不等数的黑格与白格（整个棋盘有 32 个黑格与 32 个白格），所以无法完全以骨牌覆盖。

在此很明显的，由于 2 个士兵摆在同色的格子里，所以无法用骨牌将棋盘剩余部分完全覆盖。

155. 注意图 177 的封闭曲线，当士兵顺沿此线而位于两个紧邻的格子时，曲线会通过白黑交替的 62 个格子两端的 1 条直线，顺沿此线从一端排列骨牌，可将棋盘所剩余的部分完全遮盖。士兵如果没放在紧邻的格子时，曲线就会分成互相不交叉的 2 个部分，在此情形下，任何部分都会通过偶数个格子（因为士兵是在不同色的格子上），因此，任何 1 条曲线都会被骨牌完全覆盖，如上述，将 2 个士兵放在不同色的格子里，不论其排法如何，棋盘所剩余的部分都能被骨牌完全遮盖。

156. 在 32 个白格里各摆 1 个棋子，将白格全部阻塞之后，骨牌就 1 张都排不上去（如前面所确认一般，骨牌会覆盖白黑邻格的 2 个格子），接下来 31 个棋子要以什么方式排在棋盘上，才能让至少一张的骨牌排得上去？首先，使用 32 张骨牌将西洋棋盘全部覆盖（例如顺沿图 177 的曲线），然后在上面以任何方式排这 31 个棋子，至少有 1 张骨牌不会被排上棋子，由此可证明所需的棋子为 32 个。

〔数学漫画〕46

1	14	15	4
12	6	7	9
8	10	11	5
13	2	3	16

数学的奥妙

298

问:

这是4次元（16格）矩
阵的数列。请移动4个
数字,作成纵、横、斜各
列的和均为34的矩
阵。

1	**15**	**14**	4
12	6	7	9
8	10	11	5
13	**3**	**2**	16

答:将14与15、2与3互相掉换即可。

159．当然，可以在每格写上 2，如此所造成的方阵就能符合问题所提出的条件，但至少要有 1 个奇数的话，问题就没那么简单了。

尝试几回之后可以发现，在正方形的中心不能写 1 或 3，现在我们严谨地证明这事实。

假定数字已经被配置如条件所要求，那么，2 个对角线与第 2 列的数通通加起来（这时正方形中心的数被增加 3 回），由其结果扣掉第 1 与第 3 行的数，将会发现，其差和正方形中心的数 3 倍相等，从另 1 个角度来看，无论在对角线上，或者是纵列、横行，其和皆为 6，所以其差必须等于 6，因此正方形中心的数为 2。

加上横行或斜线的数字和会成为 6，3 个数都要使用才行，否则就是都为 2，这是理所当然的，所以，正方形至少有 1 个顶点的格子必须填上 2，其后的配置就很简单了（如图 178），第 2 个以后的配置是根据最初的配置，各在对角线（2，2，2）以及第 2 横行，第 2 纵列求对移的配量而已。

1	3	2
3	2	1
2	1	3

3	1	2
1	2	3
2	3	1

2	1	3
3	2	1
1	3	2

2	3	1
1	2	3
3	1	2

图 178

为组合所要求的配置，可使用简单的记忆方法，首先组合（如图 179a）的配置，将正方形 ABCD 以外的数，分别移

至下方，上方，左方和右方，使能填入正方形的空格当中，结果可获得所要求的配置（如图179b）

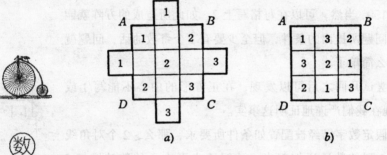

图 179

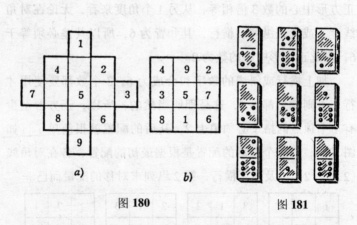

图 **180**   图 **181**

160．如前面问题的答案，按照最后的方法来解答，首先如图 180a 的方式来配置，接着将正方形以外的数字各往左方、右方、下方、以及上方 3 格移动，使这些数填入正方形当中，如此即可求得所要的配置（如图 180b）。

解答这问题，还可应用对应数字的骨牌（如图 181）。

161. 可应用前面的方式来解答此题，在 25 个成的正方形边上各加上 4 个格子（如图 182），在图中⋯⋯的 1 至 25 的数字依序写上其配置。

然后将正形 ABCD 以外的一切数字，各向下方、上方、左方以及右方的 5 格移动，就能完成配置（如图 183）。

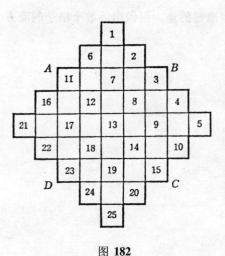

11	24	7	20	3
4	12	25	8	16
17	5	13	21	9
10	18	1	14	22
23	6	19	2	15

图 **182**　　　　图 **183**

162. 从前面所叙述的方法，可以了解无法排成 16 格的魔方阵。然而，满足此问题条件的答案还是有很多。

我们不再研究这问题的一般解法，而只介绍两种问题的答案（如图 184）。

4	5	14	11
1	15	8	10
16	2	9	7
13	12	3	6

3	2	15	14
13	16	1	4
10	11	6	7
8	5	12	9

图 184

问题 160、161 所使用的简单方法，对于格子数为奇数的魔方阵十分有效，但遗憾的是，想做出偶数个格子的魔方阵就没那么简单。

```
                1
               1   1
             1   2   1
     n      1   3   3   1
           1   4   6   4   1
 列      1   5  10  10   5   1
        1   6  15  20  15   6   1
      1   7  21  35  35  21   7   1
    1   8  28  56  70  56  28   8   1
  1   9  36  84 126 126  84  36   9   1
                 r  列
```

问：

这种数字金字塔称为巴斯加三角形，数字间有极特别的关系。请问是什么？

nCr

C 是 Combination（组合）的第一个字母。

```
                1
               1   1
             1   2   1
           1   3   3   1
         1   4   6   4   1
       1   5  10  10   5   1
      1   6  15  20  15   6   1
     1   7  21  35  35  21   7   1
    1   8  28  56  70  56  28   8   1
  1   9  36  84 126 126  84  36   9   1
                 r  列
```

答：如图，任何部分都是，上层的 2 数之和必表示在下层。

163. 在第一条对角线上任一格填入一个字母，那么第二条对角线就有 2 个格子被限制不能填入字母（因为此字母已被横列或纵列使用）。在第二条对角线剩下的两个空格中填入一字母，根据对角线上的两个字母，就很容易做出符合问题条件的配置（图 185）。换言之，就是将第 1 条对角线上的字母位置加以固定，那么问题就有 2 个答案了，可是，最初的字母可以写在第 1 条对角线的任何 1 个空格里，因此问题全部有 2×4 = 8 个答案。加上 4 个不同的字母，可排出 24 种不同的配置方式，在这情形下，答案总共有 8×24 = 192 种。

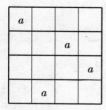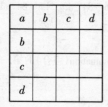

图 185　　　　　　　　　图 186

164. 假定按照问题的条件配置字母，然后将任意 2 个横行或纵列加以互换，那么应该可以得到符合问题条件的字母配置，如此排列的行与列，可在最上一行与左端一列如图 186 所示配置字母。

如此配置方式称为基本配置，接着我们求出一切的基本配置，可以看出第 2 行配出 a、b、c 的方法只有（c、d、a）（d、a、c）以及（a、d、c）3 种，这当中起先的 2 个，在第 3 行与这 4 行的文字配置方式各只有 1 种，但是最后 1 个却有 2 种方式，所以基本配置总共有 4 种，如图 187 所示。

a	b	c	d
b	c	d	a
c	d	a	b
d	a	b	

a	b	c	d
b	d	a	c
c	a	d	b
d	c	b	a

a	b	c	d
b	a	d	c
c	d	a	b
d	c	b	a

a	b	c	d
b	a	d	c
c	d	b	a
d	c	a	b

图 187

可以由各基本配置，将其中的纵列互换，而获得 24 种
不同的配置，加上各纵列的配置还可以和第 2 行，第 3 行与
第 4 行互换，又可获得 6 种字母配置，很明显的，这些配置
互不相同，所以符合问题条件的配置方式，总共有 $4 \times 24 \times 6 = 576$ 种。

165. 为了更简洁说明，将军官的阶级以字母 A，B，C，
D 来表示，而部队的编号则以 1，2，3，4 表示，显然的，
各军官可依（文字与数字）的组合而表现其特征，例如
(C，3) 表示为第 3 部队的上尉，所以要解答这问题，必须
在正方形的 16 个格子里，将字母 A，B，C，D 各 4 个以及
数字 1，2，3，4 各 4 个写在横行与纵列的每个格子里，不
要重复相同的字母与数字即可，同时，一切的（字母，数
字）组合都必须互异才行。

A	B	C	D
D	C	B	A
B	A	D	C
C	D	A	B

(A,1)	(B,4)	(C,2)	(D,3)
(D,2)	(C,3)	(B,1)	(A,4)
(B,3)	(A,2)	(D,4)	(C,1)
(C,4)	(D,1)	(A,3)	(B,2)

图 188　　　　　　　图 189

首先把字母配置如图 188 的方式（请参考前面问题的答案）。

然后再加上数字，将字母按军阶大小写上相对应的数字（也就是 A 对应 1，B 对应 2，C 对应 3，D 对应 4）其后将各数字转移到与对角线（A，C，D，B）对称的格子，可得如图 189 的配置情形。

166. 假定在拥有 16 个格子的正方形里，横行对应第 1 队的选后，纵列则对应第 2 队的选手。

然后将这些格子里以如下的方式填入数字组，应用前面的问题，配置所设定的字母与数字，将各字母转变为所对应的数字（A→1，B→2，C→3，D→4），结果可得如图 190 的配置。

接下来假定数组的第 1 个数字表示对应包含在其他格子与行和列的选手，在几回后会相遇，同时，第 2 个数字为奇数时，表示第 1 队的选手持白棋参加比赛，而偶数时，则表示持黑棋参赛，在第 1 个位置所出现的数字，都在每行每列各出现 1 回，意味着选手通通会出场比赛，同时每个选手都会和对方进行 1 对 1 的比赛。

Ⅰ＼Ⅱ	1	2	3	4
1	(1,1)	(2,4)	(3,2)	(4,3)
2	(4,2)	(3,3)	(2,1)	(1,4)
3	(2,3)	(1,2)	(4,4)	(3,1)
4	(3,4)	(4,1)	(1,3)	(2,2)

图 190

为表示这表格符合问题的条件，在每行每列里的数字组的第2个位置，都有1，2，3，4的数字，按不同的顺序配置，所以每个选手都持白棋比赛2回，持黑棋比赛2回，加上数字组各不相同，所以属于同1回合的4个数字组，换句话说在第1个位置拥有相同数字（回合的号码）的数字组，那么，在第2个位置的数字1，2，3，4都以相同的顺序排列，这意味着在此回合里，第1队的选手持白棋2回，持黑棋2回进行比赛，图191将比赛表格更清楚地显示，在此表中，第1队的选手拿走的棋子颜色以格子的颜色来表示，同时依靠数字表示各选手相遇的号码。

图 191

现在来说明做任意大小的拉丁方阵方式，现在将大的 n×n 的拉丁方阵元素以自然数来表示。

Ⅰ. 设 p 为质数，n = p−1，方阵的横行由上至下，纵列由左至右，各记下 1 至 n 的号码，号码 a 的行与号码 b 的列所交叉的格子写上以 P 除 ab 的余数，行与列的号码是无法被 P 除尽的正整数，所以能写在各格子里的数为 1，2……n 中的一个，首先，来证明写在各行的数字各不相同，现在在号码 a 的行里，假定在号码 b、c 的列的 2 个格子里写上相等的数字，那么，意味着数 ab 与 ac 以 P 除时，所得到的余数相等，因此，这两数的差为 a (b－c)，会被 P 除尽，但因数 a 与 b－c 都不为 0，而且绝对值小于 P，不能被 P 除尽，那么所得的余数应该不同，同理可证，拉丁方阵中每 1 列的数各不相同。各行各列各有 n 个格子，以 P 除时余数不会变为 0 的数为全部 n 个，所以，各行与各列各以 1，2……n 的顺序表示。

可根据此法做好 P＝5 的矩阵，将 1，2，3，4 各以 a，b，c，d 来代替，可得图 187 第 2 个矩阵。

Ⅱ、假定 n 为任意的自然数，k 和 n 之间没有任何公因数，k 为自然数，在号码 a 的行与号码 b 的列所交叉的格子里写上以 n 除 ak＋b 的余数，假定号码 b 与 c2 列，以及号码 a 的行所交叉的 2 个格子有相等的数字，那么其差为 (ak＋b) － (ak＋c)＝b－c 必须被 n 除尽才行，可是 b 与 c 是 1 至 n 中互异的自然数，所以其差绝不会被 n 整除，同时，假定某列与号码 b 的 2 个格子有相同的数，假设对应这些行的号码为 u，v，其差为 (uk＋b) － (vk＋b) ＝ (u－v) k 必然被 n 整除才行，由于 k 与 n 之间没有任何公因数，因此 u－v 必须被 n 除尽才行，但这是不可能的。

总之，排在每行每列的格子的数字都各不相同，和前面的情形一般，意味着方阵的行与列各以 0，1，2……n－1 等数的顺序来表示。

n＝4，k＝1 时，以这方式所做的方阵，将 0，1，2，3

的数字各以 c，d，a，b 来代替，就形成如图 187 最初的方阵。

选择不同的 k 值，可以这方式做出各种拉丁方阵。

接下来假定 n 为奇数的质数，k，1 则是从 0，1，……n–1中所选出的不同的数，以前面的方式来做拉丁方阵，其组合的答案与问题 165 相同，但在这情形下，拥有不同值的 n 队的代表者会参与，假定将方阵的格子填满时，在 2 个不同的格子里出现相同的数字组，假设这些格子各位于号码 a，u 的行与号码 b，v 的列上，两者之差为：

$$ak + b - (uk + v) = (a-u)k + b - v$$

$$al + b - (ul + v) = (a-u)l + b - v$$

都必须以 n 除尽，所以其差：

$$(a-u)k - (a-u)l = (a-u)(k-1)$$

应被 n 整除，但能满足此条件的只有 a＝u 的情形，结果差 b–v 应被 n 除尽，所以 b＝v，意味着这些格子必须一致。

对于任意的自然数 n 根据问题 165 的答案得到的拉丁方阵，作为 1 队为 n 人时的循环赛的赛程表，如问题 166 的答案方式，但有趣的是，n＝6 时循环赛程表可以做出，可是问题 165 却无法得到答案。

〔数学漫画〕48

问:

这是写在古埃及的纸草纸(一种草所制成的纸)上,世界最古的数学谜题。

7户人家各养7只猫,每只猫各抓7只老鼠,每只老鼠各咬7根麦穗,每根麦穗各有7升麦粒。请问总和是多少?

数学的奥妙

310

★ 鼠害在现代并不可怕,但在古埃及却相当严重。这是一个有关日常生活的谜题。

答:19607。

家 猫 鼠 穗 麦
$7 + 7^2 + 7^3 + 7^4 + 7^5$
$7 + 49 + 343 + 2401 + 16807$
$= 19607$。

十五、

167. 乍看之下，蜘蛛先沿着天花板的对角线 CE 爬行，然后沿边 EK 爬到苍蝇处即可，但仔细想想还有另 1 条路。

蜘蛛顺沿对角线 CF 在墙壁上爬行，然后顺沿 FK 到苍蝇处，同时，蜘蛛亦可沿 CA 以及 AK 的方向前进。

长方体的各部分都在对角线 CK 的中点形成对称，而路径 CDK 与 BCK，CGK 都和上面所叙述的 3 条路径等长。

那么，这其中最短的是哪 1 条呢？

其实，这 3 条都不对，还有更短路径存在，现在我们来找找看。

由于长方体的对称性，我们考虑蜘蛛的最短路径不须经过 ABEK 的路线，因为如图 192 所示，路径 KLC 的长度与路

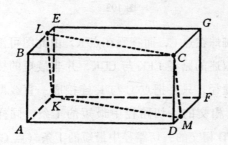

图 192

径 KMC 的长度相等，因此可说最短路径和边 EG，GF，FD，AD 之一相交，同时，其中 AD 与 EG 位于对称的位置，所以最短路径是和 EG，GF 和 FD 相交。

现在将形成房间的长方体展开成平面,可获得如图 193 的
图。

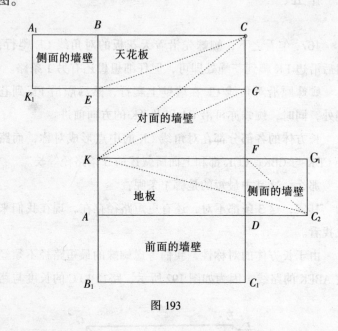

图 193

现在蜘蛛在点 C,而苍蝇在点 K,由此图可清楚了解刚
才前面所叙述的路径 CEK 与 CGK,并非最短的捷径,想要
走最短的捷径,只要把点 C 与 K 连接成一直线即可,此路
径是与 EG 相交的一切路径中最短的 1 条,同样的,路径
KC_2 是和 FD 相交的一切路径中最短的 1 条(点 C_2 和长方体
的顶点 C 相对应),比路径 C_2FK 更短。

为了得到和边 GF 所相交的一切路径中最短的路径,如
图 194 所示,将房间展开成平面,可发现 KC_3 是和边 GF 相
交的一切路径中最短的 1 条。

剩下的问题就是在此 3 条路径(KC,KC_2,KC_3)中,

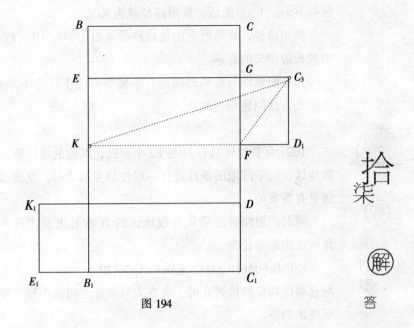

图 194

那 1 条最短？这与房间的长、宽、高有密切的关系。

现在将宽 AD 以 a 来表示，高 AB 以 b 来表示，长 AK 以 c 来表示，由图 193 与 81 可得到如下的等式：

$$|KC| = \sqrt{a^2 + (b+c)^2}$$

$$|KC_2| = \sqrt{(a+b)^2 + c^2}$$

$$|KC_3| = \sqrt{(a+c)^2 + b^2}$$

把数式中的括弧拿掉，将根号内的数式加以比较，可以发现只有 2bc，2ab 以及 2ac 的项目不同罢了。把这 3 个积数除以 2abc，得到 $\frac{1}{a}$，$\frac{1}{c}$，$\frac{1}{b}$，由此可知，例如 a > b，a > c，那么最短路径为 KC，假如 c > a，c > b，最短路径为 KC_2，假如 b>a，b>c 的话，最短路径就为 KC_3。

换句话说，蜘蛛所走的最短路径是和边 EG，GF，FD 当中最长边相交的那条。

如这般蜘蛛与苍蝇的问题，不要乍看之下就定下结论，事实上，这问题相当复杂。

169. 奇数地区只有 D 与 E2 个而已，其他的地区皆为偶数地区，对于问题的条件进行一般性的考察之后，发现这问题是有答案的。

同时，想绕桥必须从奇数地区的 D 或 E 出发才行，因此所求出的路径为

EaFbBcFdAeFfCgAhCiDkAmEnApBqElD

与这顺序相反的排列亦可，夹在大写字母之间的小写字母表示应走的桥。

170. 要调查这问题是否有答案，可发现芬兰、波兰、丹麦和邻接的国拥有奇数个国境，换言之，这些都是奇数地区，其数大于 2，所以走私者所计划的旅行是不可能做到的。

171. 参考图 195。

172. 将每个工人与每部机械都以点表示在纸上，那么可得 20 个不同的点，然后从表示工人的各点向各工人所使用的机械的 2 点画线，就可得到 20 个点和 20 条线所连接的网路，接下来不论点是表示人或机械，任何 1 点都可画出 2

图 195

条线。

如这般的网路可分为几部分，在 1 个部分中可从各点沿
线走到另 1 点，可是属于不同部分的点，其间就没有连结的
线。

每部分的点都有偶数条线所以每部分都能以一笔画完成，顺沿铅笔移动的方向，在网路画箭头看看，意味着从网路的各点各延伸1条线出来。

　　这表示从代表工人的点所画出来的线，表示工人能使用的机械的点的连线，也就是能符合问题所要求的条件。

　　将问题条件中10的数字改为2以上的任意整数，都能加以应用，解答法完全相同。

数学的奥妙

316

问:

历史上最有名的军师诸葛孔明,率精兵与司马仲达对阵,孔明一挥羽扇,军阵瞬时由上图变为下图。其实只移动了其中 3 骑而已,请问如何移动?

拾柒

解

答

317

答:移动方式如图。

图书在版编目（CIP）数据

数学的奥妙/（俄）伊库纳契夫著；王力编译 . – 海口：南海出版公司，2002.5

（校园先锋）

ISBN 7-5442-2091-5

Ⅰ.数... Ⅱ.①伊... ②王... Ⅲ.数学课–中小学–课外读物 Ⅳ.G634.603

中国版本图书馆 CIP 数据核字（2002）第 014106 号

SHUXUE DE AOMIAO
数 学 的 奥 妙

作　　者	［俄］伊库纳契夫
编译者	王　力
责任编辑	张建军　蔡贤斌
装帧设计	康笑宇工作室
出版发行	南海出版公司　　　　　电话（0898）65350227
公司地址	海口市机场路友利园大厦 B 座 3 楼　邮编 570203
经　　销	新华书店
印　　刷	中国科学院印刷厂
开　　本	850×1168 毫米 1/32
印　　张	10．5
字　　数	220 千字
版次印次	2002 年 5 月第 1 版　2002 年 5 月第 1 次印刷
书　　号	ISBN 7-5442-2091-5/G·924
定　　价	16.00 元

14